英米法のことば

田中　英夫 著

有 斐 閣

英米法のことば　目　次

はじめに

小学生の頃、新聞のスポーツ欄を見ていて、「拳闘」の勝負のつき方の表示に「打倒」「判定」のほかに「技倒」というのがあるのに気がついた。「打倒」というのはいかにもボクシングの結果にふさわしい。「判定」というのは所定の回数戦ったが「打倒」にいたらなかったときに審判が優勢と判断した側を勝ちと認めることであろう、というのも容易に見当がつく。しかし、「技倒」とは何だろうか。テレビのない時代でボクシングの試合を初めから終りまで見るというチャンスがなかっただけに、全く見当がつかなかった私は、「技で倒す」というのは、極めてあざやかな技で相手をノックアウトしたときに、そのことを記録に留めるためにわざわざ「技倒」と記すのかなと想像し、そんな素晴しい技があるのか、そういう切れ味のよい技とはどんなものなんだろうかと、心を躍らせていた。それが、technical knockout――ノックアウトではないが大きなダメッジを受けているので審判がノックアウトとみなす場合――のことだということを知ったのは、だいぶ後になってからであった。

一九三〇年代の日本で technical knockout をＴＫＯと表記することは、ボクシングに対する一般の興味の程度からいっても、また漢字を多用するのが例であったことからいっても、無理だったことは確かである。しかし、もう少し工夫した訳をつけていれば、「みなし打倒」というのが法律屋的すぎるとすれば「認定打倒」とでも訳しておけば、私にも、当たらずといえども遠からずぐらいの理解をもつことは可能だったのではなかろうか。

＊＊＊

術語の翻訳についても同じことがいえる。

ある言葉の元来の意味について誤った理解を与えるおそれの大きい訳語を用いることは、絶対に避けなければならない。手許の英和辞典を引いて technical は「技術的」とあるから technical knockout は……というようなやり方では、困る。

一方では、原語のもっている意味を正確に――時代によって意味が変化しているものについてはそのことにも十分留意して――把握するとともに、他方では、選ぼうとする訳語が日本語としてどういう意味をもつか、どういう印象を与えるであろうかについて、気を配ることが必要である。私が civil rights を「公民権」とするほぼ定着しかけた訳語に対して強い違和感をもつのは、この訳が、上記二点の双方に対する鈍感さをはっきりと示しているように思えてならないからなのである（三六頁以下参照）。

「技倒」という訳だって、ボクシングを知っている人にはそれが technical knockout の訳であり従ってその意味は……だと判かるからいいではないか、というたぐいの考えをもつ人もあろう。しかし、翻訳というのは、その分野の専門家のためよりもむしろその周辺の人々ないし初学者のためのものであるのが例であることからいって、そういう考えには賛成しかねる。日本の術語と内容を異にするものについては、違った言葉を訳語として選択するか、どうしても日本語で適当な言葉が見つからなければ、原語またはその仮名書きで表示するのがよい。日本の術語と異なる訳語あるいは原語が掲げられていれば、それがどういう意味かということに読者の注意が向けられ、その結果、早合点による誤解のおそれがそれだけ少なくなるであろう。そして、原語が英語の場合、それがわが国で最も広く学ばれている言葉だけに、原語ないしその仮名書きによることに対する心理的抵抗は、あまり大きくはないと推測してよいものと思われる。

ぴったり対応する言葉がないときに外国語をそのまま使うということは、珍しいことではない。「デート」とか「スーパーマーケット」という言葉が日常語化したように。そしてその背景に、例えば「デート」という言葉と「逢びき」という言葉との間のずれがあることは、今さら言うまでもなかろう。

⁂

法律用語の場合には、以上述べて来たことにとくに気をつけなければならない。法律学は、言葉を軸としている。さまざまの法律用語の意味を正確に把握することは、法学学習の基礎的訓練の一つである。

このことは、自国の法の学習については、自明のことといってよい。しかしながら、外国の法の場合には、存外、このことがなおざりにされがちである。日本の法律用語に法学独自の意味が与えられていることが少なくないように、外国の法律用語も、その国の法の全体の構造とその歴史を背景に、その意味内容が形成されているのである。にもかかわらず、外国法の紹介にあたって、それぞれの法律用語の正確な意味を確かめることなく、中くらいの辞典で直訳して訳語を求め、それを日本法の言葉で一見類似のものとほぼ同じ内容のものであるかのように扱うという、「英和辞典と六法全書があれば何でも判かる」式の安直な道が選ばれる例が間々見受けられるのは、残念である。

⁂

念のために断っておくが、厳密さの必要性を誇張して細かな傷をあばくというのは、私の意図するところではない。翻訳という作業は、所詮、正確さと読み易さとの間の妥協の上に成り立っている。日本語の「春」という言葉が元来は厳寒を過ぎて次第に暖かくなって行く時期を指し、従って"spring"より始期終期ともに早いとしても、springを訳文の上で「春」とせず「スプリング」とするということは、ごく特殊な場合を除いては、適当ではないであろう。また、いかに正確ではあっても字数の多すぎる訳をつけるということは、その言葉が一回しか出て来ないときならともかく、繰り返し出て来る場合には避けなければなるまい。そして、本来「妥協」の上に立っている作業である以上、これらの点についての具体的判断は、人によって異なりうるのである。

私が言おうとしていることは、結局のところ、原文をよく理解した上で、予想される読者層にその内容を最も良く伝えうるような日本文を用意する努力をという、ごく当たり前のことに尽きる。翻訳についていえば、訳語の選び方、訳註のつけ方などに、このような態度が反映していることが、好ましいということなのである。

***

前口上が長くなったが、以下、なるべく英米法の学習上基本的な事項をとりあげて解説を加えつつ、これまで述べて来た点を具体的に説明して行くこととしたい。

限られた数の項目ではあるが、冒頭の「目次」をみても判かるように、英米法のいろいろな分野をカヴァーするよう配慮したし、また、巻末の「索引」からうかがえるであろうように、それぞれの項目の中で関連事項を広くとりあげているので、この書物は、読みようによっては、いわば「斜めから見た英米法入門」の役目をも果たすこともあるのではなかろうかと考えている。

1 Due Process of Law
——法の適正な過程

最初に、日本の憲法に関する著書・論文の中でもしばしば引用される "due process of law" という言葉をとりあげてみよう。

この言葉は、「適法手続」と訳されることが多い。

この訳を最初につけたのが誰かは、必ずしもはっきりしない。高木八尺教授の『米国政治史序説』(一九三一)では、「正当なる法の手続」となっている。しかし、高木教授が一九四七年に公にされた『米国憲法略義』では、「正当なる法の手続、いわゆる『適法手続』」(七四、八七頁）と記されている。適法手続という訳に先生は必ずしも賛成ではないが、一般にそういわれているので……ということであろうか。それはともかく、第二次大戦直後にわかにアメリカ憲法が注目されるようになった時期には、「適法手続」という言葉がかなり広く用いられるにいたっていたようである。ちなみに、法学協会（編）『註解日本国憲法』の初版（一九四八）では、「法律の適正な手続」という訳が用いられている（上巻三〇一頁）が、改訂版（一九五三）では、「適正な手続」となっている（上巻五八四頁）。もっとも、この時期以後も、「適法」という言葉を避け、「正当な法の手続」という系統の訳を付している人も少なくないが、「適法手続」という訳のほうがより一般的になったように思われる。

***

しかし、この「適法手続」という訳は、皆が「デュー・プロセス・オヴ・ロー」のことだと思っているのだから問題ないといえばそれまでだが、あまり適訳とは思われない。

第一に、「デュー・プロセス・オヴ・ロー」は、憲法上の概念であり、適法、すなわち、法律に適合しているかどうかを問題としているわけではない。のみならず、単なる憲法上の一文言にすぎないものでもない。この言葉は、裁判所が人権保障の見地からどうしても許し難いと考える内容の法律を違憲とするための最後の武器であると言ってもよいものである。従ってこの言葉には、とかく自然法的な香りがただよう。

＊＊＊

「デュー・プロセス」条項は、一ヵ所だけにあるのではない。州憲法のことは一応別にしても、合衆国憲法の中でも二ヵ所、第五修正と第一四修正一節にある。前者は、「何人も、……デュー・プロセス・オヴ・ローによらずに、生命、自由または財産を奪われることはない」と規定する。この規定は、その成立の由来からいって、連邦の行為のみに適用される趣旨のものであることは明らかであり、古くから判例もそのことを認めている。後者は、「州は、何人からも、デュー・プロセス・オヴ・ローによらずに、その生命、自由または財産を奪ってはならない」（傍点筆者）と規定する。

合衆国憲法は、基本的人権の保障について、連邦の行為に関しては、第一—第八修正をはじめさまざまの規定を置いている。これに対して、州による人権侵害に対する制約としては、ずっと少ない数の規定しか置いていない。例えば、言論の自由を保障する明文は、連邦との関係では第一修正にあるが、州との関係では、合衆国憲法中には存在しないのである。これは、state が先にあり、各 state 限りでは適切に処理できない事項を解決するために United States が作られたという経緯もあって、元来は、州の行為に対する人権保障は原則として州憲法の定めによるべきものと考えられていたからである。

南北戦争後、第一三修正から第一五修正までが加えられたことは、このような建国当初のたてまえの修正を意味した。とりわけ、一八六八年に成立した第一四修正の「デュー・プロセス」条項を通じて、たとえ州憲法（およびその解釈）上は合憲とされる州の行為でも、連邦の立場から見ると許されざる人権侵害であるとして連邦憲法（第一四修正）違反とされる道が開かれたことのもつ意味は大きかった。

第一四修正の「デュー・プロセス」条項がその果たしうる役割を全面的に営むようになるまでには、かなりの年月が必要であった。一九世紀末に、まず経済的な自由がこの内容にとりこまれ、州による経済立法・社会立法が合衆国憲法の第一四修正違反として無効とされた。二〇世紀の第二四半紀には、州による言論出版の自由の制約が、この条項によってチェックされるようになった。次いで、州の刑事手続での被告人・被疑者の保護が、とりあげられるようになった。

＊＊＊

このように、合衆国憲法では、人権に関する問題について、連邦との関係では明文が置かれているが州との関係ではそうではないという場合が多い。従って、人権保障の最後の武器としての「デュー・プロセス」条項が用いられることは、州との関係でよりしばしば生ずる。しかしながら、例外的には、州との関係では合衆国憲法に明文があるが、連邦との関係ではそうではないことがある。

最も顕著なのは、「法の平等の保護」に関してである。「法の平等の保護」を保障する規定は、(南北戦争後に成立した)第一四修正一節にはあるが、連邦との関係では存在しない。従って、合衆国最高裁判所は、公立学校における黒白別学を違反とする際に、州の法律が黒白別学を規定していた事件においては、第一四修正一節中の平等保護条項によった――有名なBrown v. Board of Education, 347 U. S. 483 (1954) ――が、連邦の直轄地であるコロンビア特別区での黒白別学を定める法律については、Brown v. Board of Education と同じ日に判決された Bolling v. Sharpe, 347 U. S. 497 (1954) において、(連邦との関係では平等保護条項が合衆国憲法にないので) 第五修正を援用して、そのような法律は、「デュー・プロセス」によらないで個人の「自由」を奪うものであるという理由で、これを違憲とした。

「デュー・プロセス」条項が、最後の武器であり、サッカーでいえばスイーパー的役割を果たすものであるということは、この例からも明らかであろう。アメリカの実定憲法の叙述として、どの「デュー・プロセス」条項かを明らかにせず、漠然と「デュー・プロセス」「デュー・プロセス」と言っている論文を見たら、眉に唾をつけたほうがよい。

＊＊＊

このような機能を果たす「デュー・プロセス」条項が、単に手続のみに関するものでないことは、もはや説明の必要はないであろう。

歴史的には、当初はこの条項はあまり重視されていず、何となく手続に関するものと思われていたようである。しかし、まず州憲法の同種の規定について、これを立法の実体面をも制約する規定であると解する判決が、一九世紀の半ば近くになって、一、二の州裁判所であらわれ、合衆国最高裁判所でも、（「デュー・プロセス」条項についてこれを広義に解する少数意見がいくつか公にされた後）一八九〇年代になって、この条項は立法が手続面で適正であることを要求するのみならず実体面でも適正であることを要求するものである旨が、判例法上確定され、前述のように実体面でのさまざまの事項がこの条項に盛りこまれるにいたったのである。

＊＊＊

“Due process of law” における “due” とは、単に法律に適合するという以上の意味をもつ。“process” は、“procedure” とイコールではない。そこにいう “law” とは、「法律」ではなく、自然法的色彩をもって語られる「法」を指す。

この言葉を「適法手続」と訳したのは、誤訳に近い——少なくとも誤解の可能性の大きい訳語の選択であった。それは、「法の適正な過程」とでも訳されるべきものだったのである。

2 Public Policy
——公序良俗：公序

先日、西欧法とのなじみが薄い国との取引に当たっている人と話をする機会があったが、その方によると、英文の契約条項の中に、「この契約中のある条項が public policy に反するとして無効とされたときは」とあったのに対し、先方から、public policy を理由に契約が無効となるとはどういうことだ、政府の政策が変わったらこの契約が駄目になるということかと言われたそうである。

Public という言葉でまず思い浮かぶ訳語は「公衆の」「公共の」「公の」、policy については

「政策」であろう。Public policyという言葉にも、その通りに、「公共政策」あるいは「国の政策」とでも訳すのが適当な用法が、もちろん存在する。

しかし、法律用語としては、“public policy”は、われわれが民法九〇条や法例三〇条の「公ノ秩序又ハ善良ノ風俗」という用語を使って処理するような状況で用いられる。従って、「公序良俗」あるいは（国際私法的な問題では日本での慣例に従って）「公序」と訳さないと、意味が通じないことになる。

一般条項的なものであるだけに、public policyという言葉は、さまざまの法分野で用いられる。アメリカに、ある言葉が判例の中でどのように定義され、説明されたかを網羅的に掲げたWords and Phrasesという刊行物（全八五巻）(Permanent ed. 1964-70)があるが、そのpublic policyの項は、B5判二段組で八六頁に及んでいる。一頁に目の子で一五ないし二〇件の判例の要約が収められているので、千数百件ということになる。

Public policyという言葉の一番簡単な用例を挙げてみよう。アメリカに、主要な法分野ごとに、連邦および各州の判例を取捨選択して編集者が正しいないしは望ましいと考える判例法を選び出し、その内容を条文の形で表現して系統的に配列し、これにさらに註釈と例を付した Restatement という著述シリーズがある（詳しくは、田中英夫（他）『外国法の調べ方』三六頁以下（一九七四）参照）が、その Contracts (Second) の一八九条の例 (Illustration) 一は、次のように述べている。

「Aは、二一歳になる彼の息子Bに、Bが今後一〇年間結婚しないことを約束したのと引換えに、一〇万ドルを支払った。Bのこの約束は、不当に結婚を制限するものであり、public policy を理由に、法律上は強制できないものとされる。」

こういう場合に、このような約束は公の政策に反すると言うのは、大げさで、しっくりしない。別に政府が早婚奨励策をとっているわけではないのである。

Public policy という言葉が、このように法律上のテクニカル・タームとして用いられることを知っていないと、冒頭に記したような誤解を笑えないであろう。

***

ところで、public policy という言葉のこのような用法は、英米法辞典にはもちろん載っている——増島六一郎『英法辞典』（一九四三）、高柳賢三＝末延三次『英米法辞典』（一九五二）

――が、一般の英和辞典では、取引実務上もしばしば出て来る用法であるにもかかわらず、近年まで無視されて来たようである。例えば、研究社の『新英和大辞典』でも、一九八〇年刊の第五版には独立の見出し語として法律的意味が示されているが、一九六〇年刊の第四版では、独立の見出し語としても、また個々の単語の用法のところでも、全く掲げられていない。その他の英和辞典では、そのすべてに当たったという自信はないが、東京大学の総合図書館の参考室に備えられているものの中では、小学館＝ランダム・ハウスの『英和大辞典』（一九七三―七四）だけが「公序」という訳を掲げている。（この辞書もpublic policyを独立の見出し語としている。）ちなみに、研究社のには中央大学の新井正男教授、小学館＝ランダム・ハウスのには法政大学の高橋一修教授の名が、専門語校閲者の一人として記されているので、public policyが「公序良俗」あるいは「公序」という意味をもつことが掲げられたのは、それぞれの方が注意の行き届いた仕事をなさったことによるものなのであろう。

翻訳をするとき、あるいは外国のことを紹介するときに、鞄の中に入る程度の辞引だけを使っていては駄目だということは、遅くとも大学の教養課程を了えるまでには、誰かが教室で注意しているはずだと思うのだが、そのような注意はしばしば無視されているようである。

とすれば、英米の法律用語に接したときには、わが国で出た英米法辞典、さらに英米で刊行された法律辞典（前掲『外国法の調べ方』四二頁以下参照）に当たるべきだという、至極当たり前のことも、繰り返し繰り返し述べておく必要があるのであろう。

しかし、辞書というものも、所詮は人間の作ったものにすぎない。頁数その他の制約もある。しっかりした大辞典でも public policy の法律術語としての意味が載っていなかったというたぐいのことは、そう稀にではなく生じうることなのである。とすれば、辞書を見てもよく判らない、あるいはどうもしっくりしないことがあったら、もう一度その国の法制全体の仕組みあるいはその法分野一般のあり方に照らして広い視野からその部分を見直し、あるいは法令・判例にじかに当たってその表現がどういう問題とのコンテクスト（文脈）で論じられているかを調べた上で、訳語を決定するというだけの心構えがなくてはなるまい。

⁂

プロ野球の名審判といわれた人で、監督がルールに関する抗議をしたら、「俺がルール・ブックだ」と言って一蹴したという伝説のある人がいる。どういう意味で彼がそう言ったかについてはいろいろの見方があるが、それはともかく、翻訳や紹介をするに当たって、簡単な辞書しか使わないのは論外だけれども、辞書に記されていることに拘泥して辞書にない訳は差し控えるとか、辞書にはこうある――こういう訳しか載っていない――からそれに従ったということをエクスキューズにするとかいうことも、すべきではなかろう。よく調べて、もし全百巻の辞書が刊行されていたらここでのこの言葉・熟語はこう訳されているはずだというだけの、言い換えれば「俺が辞書だ」と高言してもおかしくないだけの、調査をし研究をすることが、理想なのだが。

3 State Action
——州の行為

Shelley v. Kraemer, 334 U. S. 1 (1948) という有名な判決がある。

事実関係は、次の通りである。

ミズーリ州セント・ルイス市のある地域の土地所有者三〇名が、一九一一年に、今後五〇年間、各人の土地を白人以外の者に売却しない旨の約束をし、これを土地登録所に登録した。土地の利用方法等を制限するこのような約束は restrictive covenant とよばれ、登録 (recording) その他の公示方法をとれば、物権的効力をもつ。わが国の建築基準法六九条以下の「建築協定」に似ているともいえるが、市町村が建築協定を認める旨の条例を制定しなくても当然に締結でき、かつ行政庁の認可を受けなくても効力をもつ点などで異なる。Restrictive covenant は、これまで「制限的約款」と訳されて来ている。以下この訳を用いるが、あるいは「土地利用方法制限協定」とでも訳したほうがより適切かもしれない。

それはともかく、問題は、当該制限的約款の対象となっている土地のうちの一筆が、黒人であるシェリに売却されたことに始まる。これに対し、クレイマ等他の土地所有者は、制限的約款を根拠にして、セント・ルイス市の circuit court に、シェリが土地を占有することを禁止し、かつその権利を売主または裁判所の指示する他の者に移すことを命ずる旨の判決を求めて出訴した。Circuit court では、当該制限的約款は、その地域の土地所有者全員の署名があって初めて有効に成立したものとするというのが当事者の了解であったが、五七筆中四七筆分の所有者計三〇名の署名のみしかえられていないので、有効に成立していないとされた。しかし、上訴を受けたミズーリ州の最高裁判所は、この約束は署名した者の間では有効に成立しているとし、その上で、この約束を司法的に実現することはシェリの連邦憲法上の権利を害するものだとのシェリ側の抗弁を斥けて、クレイマ達の請求を認めた。

合衆国最高裁判所は、全員一致で、ミズーリ州最高裁判所の判決を破棄した。ヴィンスン(Fred M. Vinson) 首席裁判官は、次のように述べる。

State はその権限内にある者から法の平等の保護を奪ってはならないとする合衆国憲法「第一四修正一節によって禁止されている行為は、states の行為 (action) であるとするのがもっともなたぐいの行為に限られるものであるという原理は、〔一八八三年の〕当裁判所の判決 Civil Rights Cases 以来、わが憲法にしっかり根をおろしている。同修正は、……単なる個人の行為に対して保護を与えるものではない。従って、この制限的約款は、それだけでは、第一四修正が上訴人に保障している権利を侵害したものとすることはできない。制限的約款の条項が任意に遵守されることによってその合意の目的が実現される限り、state の行為は存在せず、同修正条項違反にならないということは、明らかである。……しかしながら、本件は、合意の目的の実現が、合意中の制限条項を州裁判所が裁判を通して強制することによって、初めて確保された場合なのである」(*id.* at 13-14)。

「州の裁判所の行為または州の裁判官の公的行為が、第一四修正にいう state の行為とみなされるべきことは、当裁判所の従来の判決によって確立されているところである」(*id.* at

14)。「本件で州裁判所がこの制限的合意を〔有効として〕強制したことは、同州の裁判所の従来の判決で形成された同州の判例法の立場に従ったものである」が、そのことはこの点に差異をもたらすものではない。「本件の制限的合意を裁判を通して強制するのを認めることによって、州は上訴人〔シェリ〕に対して法の平等の保護を否定したことになると、当裁判所は判断する」(*id.* at 19-20)。

この判決は、わが国の憲法の人権保障規定が私人間の行為に対しても直接効力をもつかという議論との関係で、日本の憲法に関する著書・論文でもよく引かれている。そして人によっては、この判決は、下級審が訴訟の中で差別的内容の約束を容認すれば、このような司法的執行によって私的行為も国の行為に転化し、憲法の適用を受けるとしたものであると理解し、「直接適用説」に近く、実質的にはこれを支持するものとして、援用している。

しかし、常識的にいっても、下級審の判決が出るまでは違憲の問題を生じないものが、下級審の判決があったとたんに憲法問題となるというのは、若干アクロバティックであり、何か特別の必要がなければそういう理屈は使わないのではないかという気がしないだろうか。

＊＊＊

Shelley v. Kraemer の意味を明らかにするのに最適の資料は、Hurd v. Hodge, 334 U. S. 24 (1948) である。この二つの判決は、同日に言い渡されており、最高裁判所は両者の間に矛盾がないものと考えていたとみてよいからである。

Hurd v. Hodge の事実関係と争点は、Shelley v. Kraemer と基本的には全く同じである。ただ、問題の土地は、連邦の直轄地であるコロンビア特別区にあった。従って、一審は連邦の district court 二審は連邦の court of appeals であった。そして二審は、二対一で、制限的約款に違反してなされた売買は無効であり、従って被告はその土地を占有してはならないとした一審の判決を維持した。合衆国最高裁判所は、全員一致——一名の補足意見がある——で二審判決を破棄した。

もし、Shelley v. Kraemer が、一般論として、下級審の判決があればそこで私的行為が「国の行為」に転化するという立場をとったのだとすれば、Hurd v. Hodge でも、同じ理屈で、ただし合衆国憲法には連邦との関係では平等保護条項はないから（*1* で記したように）第五修正中の due process 条項違反を根拠に、原判決破棄という結論を出したであろう。現に本件上訴人は、そのような主張をしているのである。しかしながら、合衆国最高裁判所は、そうはしなかった。法廷意見は、Shelley v. Kraemer の場合と同じく、ヴィンスン首席裁判官によって述べられているが、彼は、次のように言う。

一審の裁判所がこの制限的約款を裁判を通して強制したことは、一八六六年に連邦議会が制定した Civil Rights Act によって保護された権利を否定するものであるが、「たとえこの法律がなくても、それは、合衆国憲法、条約、連邦の法律および判例に示された合衆国の public policy に反するものであり」無効である（*id.* at 34-35）。

この判決も、わが国で二、三の学者によって紹介されている。そのうちの一つを引くと、この判決は、「州裁判所において憲法上強制不可能な合意を実行せしめることは、合衆国の国家的政策（public policy）に反することになろうと述べた〔ものであり〕、……最高裁は、平等保護原則が国家的政策として認められることをもって、この原則を積極的に適用する根拠としていると考えられる」と記している。

しかしながら、この判決中の "public policy" は、*2* で述べたように「公序良俗」にあたる言葉である。従って Hurd v. Hodge の意味は、日本に引き直せば、憲法を持ち出すまでもなく、民法九〇条の問題として処理すれば十分であるということなのである。そして、その後の合衆国最高裁判所の判決の中でも、Hurd v. Hodge を引く際に、この点に関してここに述べた以上の意味を与えたものは見当たらない。

＊＊＊

このように見て来ると、"state action" は、「国の行為」ではなく「州の行為」なのである。コロンビア特別区のようにすべての問題が連邦法によって規制されるところなら、わざわざ裁判所の判決が政府の行為であるというようなことをいわなくてもよいが、州内の問題で第一次的には州法の規制を受ける問題のときには、「州の行為」があったといわないと、合衆国憲法第一四修正違反という形で連邦法の次元にのせることができないから、こういうテクニックを用いたのである。従って、連邦制をとらない日本での問題と似た枠組を基盤としているのは、Shelley v. Kraemer ではなく、Hurd v. Hodge なのである。

付言すれば、state action が「州の行為」の意味であることは、Hurd v. Hodge の上訴人がShelley v. Kraemerと基本的には同様の理由づけによるべきであると主張する際に、state actionという言葉を用いず、governmental actionという表現を使っていることからも、うかがえるのである。

⁂

アメリカ憲法を理解するためには、合衆国憲法と各州憲法との二重構造を十分理解しなければならない。また、連邦と州それぞれの司法組織は、一応はそれぞれ自己完結的であり、連邦最高裁と州最高裁の関係は、わが最高裁と高裁との関係と質的に異なることに留意しなければならない。これらの連邦制に関する事項は、一見われわれの問題と無縁のようであるが、その点についての配慮を欠くと、アメリカ法の虚像をもとに日本の問題を論ずるいうことになりかねないのである。

4 Writ of Habeas Corpus
——人身保護令状；身柄提出令状

「リット・オヴ・ヘイビアス・コーパス」というように発音される。わが国の人身保護手続の原型である。

日本で人身保護法が制定されたことの一つの大きな源は、憲法三四条の後段にある。「要求があれば、〔拘禁〕の理由は、直ちに本人及びその弁護人の出席する公開の法廷で示されなければならない」とする定めが人身保護手続のことを考えたものではないかということは、憲法制定直後から、一部の人によって唱えられていた。また、仮に憲法が人身保護法の制定を要求していないとしても、その制定が憲法の精神からいって望ましいという考えは、かなり広く懐かれていた。しかし、政府は、この規定を字義通りに制度化したにすぎないといってよい勾留理由開示の制度を、昭和二三年七月一〇日に公布された刑事訴訟法（八二―八六条）に置くに留まった。

勾留理由開示の制度は、勾留の理由が示されることを保障するのみであって、その理由が適法か否かの審査には及ばない点で甚だ微温的なものであったのみならず、刑事手続において勾留の形式をとらずに事実上不当な拘禁が行なわれた場合、さらに刑事手続以外での人身の自由の拘束は、その適用外であるという欠点があった。人身保護法は、そのような欠点を補うため、第二回国会で議員提出法案として参議院で発議され、若干の修正の上可決、次いで衆議院でも可決され成立し、昭和二三年七月三〇日に公布されたものである。

＊＊＊

人身保護手続は、刑事手続における身柄の拘束ないしそれに類似した場合のみを対象としているのではない。わが国の人身保護法の運用の実績をみても、捜査との関連での身柄の拘束には——捜査の方法が現行の憲法と刑事訴訟法のもとで旧憲法下のそれと大幅に変わったこともあって——当初考えられていたところと異なりそれほど用いられず、国外退去強制手続との関係、精神病院への強制入院との関係、さらに（子の監護を誰が行なうかについての争いに関連する）幼児の引渡しとの関係などで、よりしばしば利用されている。

ところで、わが国では、人身保護手続が幼児の引渡しのために用いられることは家庭関係の事件について今日家庭裁判所で用いられているような方法と異なるルートを開くことになり好ましくないとする立場などから、人身保護手続が民事的な面でも用いられることに反対する人が少なくない。その当否はここでは論じないが、これらの人々の中に、イギリスでも人身保護手続は元来刑事手続にのみ適用があったものが、Habeas Corpus Act 1816 でそれ以外の拘束にも適用されることになった旨の叙述をしている向きがあるのは、実定法の解釈論・立法論に関する立場によって外国法の認識が歪められた例の一つというべきであろう。この一八一六年法は、Habeas Corpus Act 1679 が刑事的な拘束との関係における人身保護の手続面を整備強化したのを、それ以外の拘束にも及ぼす趣旨で制定されたものなのである。

そもそも、habeas corpus というラテン語は、"You (shall) have the body." という意味

である。Writ of habeas corpus は、中世においては、まさに「身柄提出令状」的性格のものであった。とくに、国王裁判所に当事者または陪審員を強制的に出廷させるために、この令状が用いられたのである。

* * *

Writ of habeas corpus が人民の自由を保護するための武器であると観念されるようになったのは、ステュアート朝前期、すなわち一七世紀前半において、王権神授説を信奉した国王が星室裁判所（Court of Star Chamber）などコモン・ロー外の機関を利用して反対派を抑圧しようとした際に、これらの機関によって拘禁された者が、コモン・ロー裁判所の発給するこの令状によって解放されたことに由来する。前記一六七九年の人身保護法は、まさにこのような観念を基盤に、刑事的な拘束について、この令状の救済が与えられる手続を整備し強化するために制定されたのである。

中世の writ of habeas corpus は、「身柄提出令状」以上の何ものでもなかった。しかし、一七世紀後半以降、writ of habeas corpus は、何よりもまず「人身保護令状」として意識される。しかし、その間に、制度上断絶があるわけではない。イギリスの制度にしばしば見られるように、古いものを棄て去るのではなく、それを維持しながら、徐々に中身を変えて行ったのである。今日では新しい枝葉が目に映る。しかしそれは、中世以来の根とつながっているのである*。

実は、翻訳の際に一番困るのは、この種の言葉である。現行法だけを扱っているときは「人身保護令状」でよかろう。中世だけを扱っているときなら「身柄提出令状」とするのがよい。しかし、中世以来今日までの変遷を見て行く場合などは、結局のところ、原語のままとするか、「ヘイビアス・コーパス」と記すかしかないように思われる。

* Habeas corpus については、その目的に応じて、例えば、人身保護令状的用法のときは habeas corpus ad subjiciendum というように、後に限定句が付されることがあるが、詳細はここでは省略する。

***

Habeas corpus は、元来ラテン語である。しかし、それが writ という英語と自然に結びついているように、現在では完全に英語化している。他にも、英米法の術語には、ラテン語系の言葉が数多く存在する。そしてそのほとんどすべてが、habeas corpus が「ハベアス・コルプス」でなく「ヘイビアス・コーパス」と読まれているように、英語風に発音される。

中世においては、法律の公式文書は、ラテン語で書かれるのが通例であった。有名な「マグナ・カルタ」（一二一五年）もそうである。中世の法律書——例えば Henry de Bracton, De legibus et consuetudinibus Angliae libri quinque（1250's）も、題名の示す通りラテン語で書かれている。もっとも、中世イギリスでのラテン語は、古典的なラテン語と比べるとかなり変形しているということであるが。

* * *

イギリス法の術語には、また、フランス語起源のものもかなりある。Plea of autrefois acquit といえば、他の折に〔無罪として〕釈放されたことがあるということで、刑事法上の一事不再理の抗弁に当たる。

イギリスのノルマン王朝は、一〇六六年にノルマンディからイングランドに渡って即位したウィリアム一世が創始したものである。従って、征服者たる国王および上流階級は、彼等がなじんでいたノルマンディ訛のフランス語── Norman French ──を用いていた。小説「アイヴァンホー」にあるように、pig が調理されて宮廷の食卓に上ると porque → pork となったのである。従って、中世においては、裁判所の公式記録にはラテン語が用いられたが、国王の裁判所での弁論はフランス語（と彼等が思っていたもの）で行なわれた。Law French とよばれるこの言葉が、当時のフランス語とどのくらい違うか、私はよくは知らない。少なくとも今日のフランス語とは（スペリングの面を含め）大分違うが、馴れれば見当がつくことも少なくない。

中世の法廷での弁論および弁護士と裁判官のやりとりを（後進の法律家の養成の教材に用いる目的で）ノートした Year Book（年書）とよばれる判例集的な刊行物は、この law French で記されている。そして、判例集を law French で記すことは、Year Book が一五三九年に姿を消した後も、一七世紀まで続く。他方、法律にも、一二七八年の Statute of Gloucester を皮切りに（一方ではラテン語で書かれた法律も引続き存在するがそれと並んで）law French で書かれたものが出るようになり、時代が下るほど、law French のものが多くなる。法律が英語で書かれるようになるのは、一五世紀の終り近くのことである。一二三五年から一七一三年までの法律を収めた Statutes of the Realm (1810) が対訳――従って二段組――の形でなくなるのは、ヘンリ七世の治世第七年（一四九一年）以後の立法についてなのである。

立法に際して law French が使われたことの名残は、今日でも、両院を通過した法律案にイギリス女王が裁可を与えるときに用いられる文言が"La Reyne〔女王でなく男性の国王のときは Le Roy〕le veult."であることに、見出すことができる。

5 Civil Rights
——市民的権利：人権

黒人その他アメリカでの人種的少数者が平等取扱いを要求するための運動は、civil rights movement とよばれる。連邦議会が人種的少数者の権利の保障のために制定した諸法律の中で中心的な存在は、Civil Rights Acts とよばれる。

ところで、これらの言葉は、日本では通例「公民権運動」「公民権法」と訳されている。これらの訳は今日ではすでに定着しており、あえて異を唱えることもないのかもしれないが、私は若干の心理的抵抗を感ずる。

それは、次のような理由からである。日本語で「公民権」という言葉は、本来は、市町村その他地方公共団体の公務に参与する資格を意味した（市制（明治四四法六八）九条、町村制（明治四四法六九）七条参照）。また、この言葉をやや広く用い、選挙権その他参政権一般を指すこともある（例えば労働基準法七条の見出し）。しかし、以下に説明するように、civil rights という言葉の内容は、ここで述べたような「公民権」の意義とはかなり異なるのである。Civil rights という言葉を「公民権」と訳したのがどういう由来によるものなのかは明らかにできなかった＊が、この訳は、あえて誤訳といわないまでも、訳語として用いようとする日本語の正確な意味を確かめることをしないまま言葉を選んだ、やや安直な訳だったのではないかという気がしてならないのである。

＊　本稿執筆に際して一九五〇年代までに刊行されたわが国の文献の若干を調べてみて気がついたことは、「公民権」という訳以外のものを用いている例が、案外あるということである。例えば、『原典アメリカ史』第四巻（一九五五）は Civil Rights Act を人権法としているし、檜山武夫『アメリカ憲法史研究』（一九五八）は市民権法と訳している。しかし、研究社の『新英和大辞典』（一九五〇年増補改訂版）など

一般の英和辞典には「公民権」という訳が使われており、それが広く用いられていたように思われる。私が一九五〇年代の半ばに「私有財産権の保障規定としての Due Process Clause の成立」という論文を書いた時に、Civil Rights Act に「市民的権利に関する法律」という訳をあてたが、その際、やや奇をてらうものと受け取られないかということが気にかかったのを覚えている。なお、有斐閣の『英米法辞典』(一九五二)も、「公民権」という訳語に従っている。

***

Civil rights としてどのようなものが考えられて来たかを知るために、一八六六年以来数次にわたって制定された Civil Rights Acts の内容を見てみよう。

一八六六年に連邦議会が制定した Civil Rights Act は、第一条で、「合衆国内で誕生した者で外国の権力に服していないものは、課税されないインディアンを除き、すべて合衆国の市民である旨をここに宣明する。合衆国の市民は、人種および体色を問わず、かつて奴隷たる地位にありまたは……その意に反する苦役に服していたか否かにかかわりなく、合衆国のすべての州および準州において、契約を締結し、これを実現する権利、訴訟を提起し、当事者となり、証拠を提出する権利、財産権（real and personal property）を相続し、購入し、賃借し、売却し、保有し、譲渡する権利、白人である市民と同様に人身と財産の安全を護るため諸法律と諸手続の便益を完全かつ平等に享有する権利、および……〔白人と〕同様の刑罰（punishment, pains, and penalties）のみに服する権利をもつものとする」と定めている。さらに、一八七五年に制定されたCivil Rights Actの第一条は、「宿屋、陸上水上の公共輸送、および劇場その他の公共の娯楽施設の宿泊、利用、便益および特権を完全かつ平等に享受する権利」を保障している。

　これらの法律は、まさにcivilな権利、市民が個人として有する権利の保障を目的としたものであった。参政権の面での平等の実現は、一八七〇年に成立した合衆国憲法第一五修正、この修正の効果的な実施のために制定された一八七〇年のEnforcement Actなど、（合衆国憲法第一四修正と関係の深かった）Civil Rights Actとは別の手段によっていたのである。

⁂

Civil rightsという言葉は、このように、元来は、個人が（団体としてではなく）個人として有する権利で統治作用と関連のないものを指した。それは、私法上の権利に限られず、信教の自由、言論・出版の自由などをも含む概念であった。Civil Rights Act は、このような civil rights の享有・行使における差別の禁止を目的とする。そしてそのことから、理由なき差別を受けることがない権利も、civil rights の一部であるとみられるようになる。そして、人種差別の禁止の範囲が拡がるにつれて、公教育、雇用、住居の選択など、個人生活の各面での平等取扱いが、civil rights movement の成果として、実現されることになる。

この点で最も目覚しいものとして、一九六四年の Civil Rights Act がある。この法律は、第一に、次のような施設での人種・体色・宗教・出身国による差別を禁ずる。①(五室以下で持主が同じ建物に居住している場合以外の)旅行者の宿泊施設、②(州境を越えて旅行する人の利用に供されまたは州境を越えて輸送された商品を相当量提供する)食堂またはガソリン・スタンド、③(そこで提供される娯楽のもととなる物が通例州境を越えて取引されている)映画館・スポーツ施設などの娯楽施設。第二に、この法律は、雇用の面における差別を禁じ、その実施のために Equal Employment Opportunity Commission (平等雇用機会委員会) を創設し、さらに、連邦の基金を受けて遂行される計画における差別を禁止した。次いで一九六八年の Civil Rights Act は、

（一戸建の住宅で所有者が他に一戸建の住宅を三戸以上所有していないとき、または一棟の中にある住居が四戸分以下で建物の所有者がそのうちの一戸に居住しているときを除き）賃貸借契約の締結・内容等につき人種・体色・宗教・出身国による差別をすることを禁じている。

このように civil rights の平等権的内容が強調されるにいたって、初めて、投票における差別の禁止が、civil rights の保護の一環として認識されるようになる。一九五七年の Civil Rights Act は、Commission on Civil Rights という名称の連邦の行政委員会を創設し、これに、平等保護に反するような法制について情報を集めること、平等保護に関する連邦の法律と政策についての評価を下すことと並んで、人種・体色・宗教・出身国を理由に投票権を奪われた旨の申告がなされたときに事実を調査する権限を付与した（一〇四条）。また法務総裁（Attorney General）が投票における差別を禁止する差止命令（injunction）の発給を求める訴を提起することができる旨を定めた（一三一条）。そして、一九六〇年の Civil Rights Act（六〇一条）、一九六八年の Civil Rights Act（一〇一条）にも、投票権の平等の確保のための規定がみられる。もっとも、差別的状況があるときには、選挙権者としての資格を有する者が差別的な取扱いを受けずに登録されることを確保するため、連邦の公務員が州の公務員の職務を代行することができる旨を定めた規定をはじめ、投票権の行使の面での差別の排除の面で画期的な定めを置いたのは、一九六五年の Voting Rights Act という、Civil Rights Act とは別の名称をもつ法律であるが。

⁂

Civil rights という言葉は、元来、日本法における「公民権」という用語と重なり合う点が全くなかった。近年になって、法の前の平等の保障の一環として投票権の問題がとりあげられるようになったが、それは、依然として "civil rights" の内容の一部分にすぎない。従って、この言葉を「公民権」と訳すと、内容が大きく異なるものを重ね合わせることになってしまう。また、「市民権」という訳語も、それが citizenship という国籍に相当する言葉の訳として用いられるだけに、適当ではない。

Civil rights のように、日本語にほぼ対応するといえる言葉がないときには、むしろ日本の法律術語にはない訳語を用いるべきであろう。「市民的権利」という言葉を私が使っているのは、その趣旨からである。もしこの言葉がやや生硬な響きをもつとすれば、いっそ、「人権」というような、漠然とした、それだけにいろいろなことを含みうる、訳語を選んだほうが無難なように思われる。

6 Interstate Commerce
——州際通商

Civil Rights Act of 1964 に関する（*5* での）説明を読んだ人の中には、この法律が、食堂またはガソリン・スタンド、あるいは映画館・スポーツ施設などの娯楽施設における人種・体色・宗教・出身国による差別を禁止すると言い切らずに、前者については「州境を越えて旅行する人の利用に供されまたは州境を越えて輸送された商品を相当量提供する」ものという限定を付し、後者については「そこで提供される娯楽のもとになる物が通例州境を越えて取引されている」施設という限定を付しているのは、なぜであろうかという疑問を抱いた人もあるかもしれない。

連邦議会がこのような規定を作ったのは、差別撤廃をほどほどのところで止めようという意図に出たものではない。それは、連邦議会の立法権の範囲についての憲法上の限界によるものである。

アメリカがイギリスから独立した時には、一三の植民地のそれぞれが独立の主権国家――まさにstate――になった。ただ、イギリスとの戦争の遂行をはじめ共通の問題を処理する必要上、緩い国家連合としてのUnited Statesが作られたのである。言い換えれば、独立当初のUnited Statesは、今日のECと基本的には同じ性質のものであった。それが、結びつきをさらに強化し、国家連合から連邦に変身するのは、一七八七年に起草され、翌八八年に成立した合衆国憲法によってである。

合衆国憲法の成立は、United Statesの地位を大幅に強化した。しかし、そのもとでの合衆国は、依然として連邦であり、日本のような単一国家ではない。連邦政府は、合衆国憲法（およびその解釈）によって与えられた権限のみを行使できるのである。

連邦議会の立法についても、このことがあてはまる。日本の国会は、憲法で禁止されていない限り、どのような法律でも制定できる。しかし、連邦議会の場合には、これから作ろうとする法律が（言論の自由を侵してはならないことなど）憲法上の禁止条項に触れるか否かについて考える前に、そのような立法をする権限の根拠となる規定が合衆国憲法の中に存在するか否かを検討しなければならない。そして、この点は、司法審査に服する。裁判所は、合衆国憲法の解釈上、連邦議会がそのような立法をする根拠となる規定は存在しないと判断すれば、その法律が憲法上の禁止条項に反していなくても、これを違憲とするのである。

このように、連邦政府の権限は、あくまでも、合衆国憲法によって与えられた枠内で行使されなければならない。この枠がどこまでかは、裁判所の憲法解釈によって決まる。そして、裁判所は、建国以来この枠を次第に拡げる方向に憲法を解釈して来たのであり、二百年前に憲法を起草した人々は当然連邦の立法権の範囲外だと思ったに違いないような内容の法律が、今日では、裁判所によって有効と判断されるということが多い。しかしながら、それは、あくまでも枠の拡大であって、枠の消滅を意味するものではないのである。

＊＊＊

一九六四年の Civil Rights Act に立ち返ると、私人が経営している食堂・劇場等々での人種差別を禁止するための法律を連邦議会が制定する根拠となりそうな合衆国憲法の定めとしては、まず、第一四修正一節の中の「州はその権限内にある者から法の平等の保護を奪ってはならない」との規定プラス同修正五節の「連邦議会は、然るべき立法によって、この修正条項を実施する権限をもつものとする」との規定が目につく。しかし、一八八三年の Civil Rights Cases, 109 U. S. 3 によって、第一四修正一節の上掲規定は、州による差別を禁じたものであり、従って第五節も、州による差別を禁ずる立法をする権限を認めたもので、連邦議会が私人による差別をも禁ずる立法をする根拠となりうるものではないと判示され、それが今日まで維持されているので、これらの規定に依拠することはできない（*3* で state action について述べたところを参照のこと）。

このような枠のもとで、連邦議会がよりどころにしたのが、連邦議会の立法権の範囲に関する中心的な規定である第一編八節の三項の、連邦議会は「各州間……の通商（commerce）を規制する」権限を有する旨の規定である。Interstate commerce clause または単に commerce clause とよばれる。

この規定は、早い時期に、運輸・通信など commerce の手段についても、連邦に立法権を与えたものと解釈された。さらに、州境を越えて人が移動することも、この条項の適用範囲内だとされた。

例えば、White Slave Traffic Act とよばれる連邦の法律は、売春その他不道徳な行為に従事させる目的で婦人を "transport in interstate or foreign commerce, or in the District of Columbia or in any Territory or Possession of the United States" することを禁止している。この "in interstate or foreign commerce" という言葉は、合衆国憲法の commerce clause に関連づけた表現で、「州境または国境を越え」とでも訳すのが適当であろう。コロンビア特別区その他連邦の直轄地については、連邦議会は州議会がその州についてもっているのと同様の立法権をもっており、憲法の禁止に触れない限りどのような立法でもできるが、それ以外は、commerce clause で与えられた立法権の範囲でしか立法できないので、こういう規定にならざるをえないのである。この法律によれば、ニューヨークからハドソン河を越えて隣のニュー・ジャージ州に売春婦を運べばこの法律によって罰せられるが、サンフランシスコからロサンジェルスまでほぼ東京—岡山間の距離を移動させても、同じキャリフォーニア州内なので、この法律には触れないことになる。しかし、それはこれまで述べて来たような憲法の枠との関係のためであり、別に前者のほうが後者よりも悪性が強いと考えたからではない。また、後者の行為が法に触れないかどうかは、キャリフォーニアの州の法律にそれを規制する定めがあるかどうかを調べなければ、結論が出せない。

⁂

ところで、最高裁判所は、長い間、commerce clause を根拠にした連邦法は、真に州際「通商」の規制を目的としたものでなければならず、他の目的を実現するために通商の規制という形を借りたのであれば、commerce clause が連邦議会に与えた立法権の行使とは認められないとしていた。

例えば、連邦議会が一九一六年に少年労働の制限を目的として制定した法律は、一四歳未満の少年を使用し、または一四歳以上一六歳未満の少年を所定の労働時間以外に働かせて生産された商品は、州境を越えて運送されてはならないと定めていた。しかし、最高裁判所は、一九一八年の Hammer v. Dagenhart, 247 U. S. 251 において、これを違憲とした。多数意見は、(White Slave Traffic Act の場合のように) 州境を越えて移動する商品または人自身が有害ならこれを規制することは commerce の規制といえるが、本件の場合、輸送される商品そのものは (少年労働を使用しないで生産された商品と同様) 無害なのだから、この法律は州際通商の規制を目的としたものとは言い難いとしたのである。

このような判例の立場は、一九三七年から数年にわたって生じた一連の憲法判例の変更の一環として、くつがえされた。連邦議会が州際通商の規制という形で制定する法律は、たとえそれが通商の規制以外の目的の実現を目指したものであっても、そのことの故に違憲とされることはないとされるにいたったのである。

こうして、州の行為によらない差別の除去のために連邦議会が commerce clause を基礎に法律を制定する道が開かれる。一九六四年の Civil Rights Act は、その顕著な一例である。そこに、冒頭に記したような限定が付されていることは、commerce clause を基礎とすることに由来する。今日のアメリカの経済的・社会的諸条件からいって、このような限定句によって適用の外におかれる例はごく僅かであろうが、そういう限定を付さなければならないのは、まさに、アメリカの連邦制の故なのである。

⁂

Commerce clause は、state が他の state に対して経済障壁を設けることを防ぎ、独立したてのアメリカが経済上の一体性を強めてヨーロッパの先進国に対抗する力をつけるのを助けようという目的で置かれた定めである。この条項を起草した人々が一九六四年の Civil Rights Act を見たら、われわれはそんなつもりではなかったと言うに違いない。

日本の憲法学の眼で見て、これを憲法の「歪曲」と言う人もいるだろうし、憲法の「変遷」と説く人もいるだろう。それはともかく、これが、アメリカにおける憲法の運用なのである。

7 Police Power
——福祉権能

“Police power”という言葉は、通例「警察権」あるいは「警察権能」と訳されているようである。

日本語の「警察」という言葉は、人によってその用法に若干の差はあるが、概ね、公共の安全と秩序を権力的手段によって維持することという意味で用いられている。平たくいえば、「お巡りさん」から「警察権力」にいたる系列で理解されていると言ってよい。ところが、アメリカでの“police power”という言葉は、公共の安全と秩序の維持だけではなく、人々の健康、快適な生活、道徳の維持、さらには経済の発展など、社会一般の福祉を増進するために、州が適切な措置をとる権限を意味する。すなわち、この言葉は、日本国憲法における「公共の福祉」という文言に比すべきものなのである。

「警察権」「警察権能」という訳は、"police power" が州が（治安維持というだけでなく）人々の福祉のために積極的施策をとることを根拠づける役割を担っているという、最重要な点を反映していないことからいって、適切ではない。前後の関係からいって「警察」のみを対象とした用法であることが明らかでない限り、より広い範囲をカヴァーしうる訳語を選ぶべきであろう。私は、これまで述べて来たような考慮から、「福祉権能」という訳語を用いることにしている。「福祉」という言葉が「福祉事務所」というようなコンテクストにおいてのみ理解されるおそれが大きい場合には、「公共福祉権能（police power）」とするのも一案であろう。

そもそも、語源的には、police とは、一つの統治単位ないしそこでの統治・行政のことであり、古くはそのほか policy と同義に用いられたこともある。他方、警察組織といえるようなものが成立したのは、ロンドンにおいてさえ、一八二九年、ピール（Sir Robert Peel）の努力の結果 Metropolitan Police Act が制定されたことによるものであった。従って、police power の語が「警察権」よりも広い意味に用いられたことには、なんの不思議もないわけである。

＊＊＊

人民の福祉ということは、国家として当然に配慮すべき事柄である。そのことが、police power という名で憲法上しばしばとりあげられるのは、アメリカが連邦制をとっていることとかかわり合う面が大きい。すなわち、州は、それぞれの州の州民についてその福祉を図る措置をとる権限を本来的に有するとされ、連邦は、(その直轄領以外については) police power を有しないとされるのである。合衆国憲法第一〇修正（一七九一年成立）は「〔合衆国〕憲法が合衆国に委任しまたは州に対して禁止していない権限は、それぞれの州または人民に留保される」と規定しているが、police power はこの第一〇修正によって州に留保されているとされる権限の一つであると説明されることが多いのも、police power が州の本来的な権限、固有の権限であるという考えに由来するものである。

合衆国憲法には、州に対する禁止条項がいくつか設けられている。また、連邦が制定した法律は、それが憲法上連邦議会に与えられた立法権の範囲内で立法されたものであれば、合衆国憲法第六編二項の supremacy clause（最高法規条項）により、州の憲法および法律に優先する。これらの点をめぐって解釈上の争いが生じた場合に、police power の観念は、州の権限を保持する役割を果たした。

Police power という言葉はいつ頃から用いられるようになったのか。R. Roettinger, The Supreme Court and State Police Power 10-22（1957）によれば、一八二七年の Brown v. Maryland, 12 Wheat. 419（U. S.）におけるマーシャル（John Marshall）首席裁判官の意見の中に出て来るのが、最初とのことである。

この事件は、外国からの輸入品の卸売業者は州から免許を受けなければならないとしたメアリランド州法を、「州は、……輸入品……に対し輸入税または関税を賦課してはならない」とする合衆国憲法第一編一〇節二項に反し、かつ、外国との通商に州が負担を課すという点で同第一編八節三項の commerce clause（6参照）にも反するとして違憲としたものである。マーシャルがその意見の中で police power に触れたのは、前者との関連においてであって、輸入品に対する規制でもある種のものは州による police power の行使として是認されるが、本件はそのような場合ではないとしたのである。彼は言う。「火薬を他に移すよう命じる権限は、police power の一部であり、この police power は、州に留保されていること疑いなく、また留保されているべきものなのである。……他に害毒をうつし易い物あるいは不健全な物を他に移しまたは破棄するということが、このような権限の一部であり、本件で問題となっている条文の定める禁止の例外となっているということは、疑いのないところである」(12 Wheat. at 443-44)。

州による police power の行使が最も問題になるのは、commerce clause についてである。外国との通商や州と州との間の通商については、連邦議会が立法する権限をもつが、州もまたこれらの事項について立法権をもっている。連邦の立法と州の立法との間に牴触があれば、supremacy clause により、連邦の立法が――それが commerce clause という憲法上の枠内でなされた立法と認められる限り――優先する。ところで、この牴触が明文上はっきりしていれば問題はないが、そうでないこともある。その場合、連邦の法律が明文を設けていないことは、その点について法による規制は行なわないとする趣旨であり、従って州の法律で規制することはできないとするものなのか、それとも、その点の規制は州に任せる趣旨なのかが、問題となる。この点についての第一原理は、事柄が全国的に一律の規制が必要な性質のものであるときは、前者と推定すべしということであるが、伝統的に州の police power に属するとされている分野については後者と推定すべしということも、しばしば援用される。

実は "police power" という熟語は用いていないが、"police" という言葉を州民の「福祉」という広い意味に用いている例は、一八二四年の Gibbons v. Ogden, 9 Wheat. 1 (U. S.) の中でのマーシャルの意見にみられる。この事件は、ニュー・ヨーク州の法律がその領水内における蒸気船の航行についての独占権を与えることを認めているのを根拠にハドスン河を横切ってニュー・ヨーク州側からニュー・ジャージ州側まで蒸気船を運行することの独占権を与えられた者が、第三者によるこの間の蒸気船の運行を禁止することができるかが争われたものである。合衆国最高裁判所は、ニュー・ヨーク州の最高裁判所の判決をくつがえして、このような州の立法は、commerce clause 上許されないとした。しかし、マーシャルは、ここでも、次のように述べて、州がある範囲で州際通商に影響を与える立法をなしうることを認めている。「州が、その police および州内の通商を規制し、かつその市民を統治する権限をもつことは一般に認められているところであるが、この権限は、本件で〔上訴人が援用した法律のように水先案内人に関する規制という」問題について州が立法することの根拠となるものである」(9 Wheat. at 208)。

比較的新しい判決から、もう一つ例を挙げておこう。一九六三年の Florida Lime & Avocado Growers, Inc. v. Paul, 373 U. S. 132 は、キャリフォーニア州の法律が、アヴォカードで油脂分が重量で(皮と種を除いたものの)八%に達しないものは未熟なものであり同州内では販売も輸送もできないと定めたため、アヴォカードのもう一つの主産地であるフロリダ州産のもののうち、油脂分七%以上という連邦の規則には合しながらキャリフォーニアでは販売または輸送できなくなるものがその約六%に達するという結果が生じたにもかかわらず、食品の質に対する規制は、伝統的に州の強い関心事であるとされて来たところであり、この州法は、州際通商にかなりの影響を与えるものではあるが、キャリフォーニア州の police power の正当な行使として、合憲とされるべきだと判示したのである。

アメリカが、police power という観念を用いて、州が州民の健康・安全・福祉を維持し増進するための立法をすることを尊重しているということは、国際取引に伴う問題の法的処理についても、ある程度参考になることかもしれない。

8 Obligation of Contracts
——契約上の債権債務関係

Police power（福祉権能）は、7で説明したようにinterstate commerce clause（州際通商条項）との関係で問題になるほか、財産権の保障との関係でしばしばとりあげられて来た。

州の立法が財産権に対する制約を定めている場合、その合憲性は、州憲法上の財産権の保障との関係で審査されるのみならず、合衆国憲法との関係でも問題とされることになる。一九世紀前半においては、合衆国憲法第一編一〇節一項中の“No State shall……pass any……Law imparing the Obligation of Contracts.”という条項が、財産権の保障規定のかなめであった。この条項は、一八〇一年から一八三五年までマーシャルが合衆国最高裁判所首席裁判官であった時代に大幅に拡張解釈された(田中英夫『英米法総論上巻』二五〇―五一頁(一九八〇)参照)が、次のトーニ(Roger B. Taney)の時代にマーシャルのもとでの拡張解釈の行き過ぎが是正された(同書二六四―六八頁参照)。なお、上掲の引用中での大文字の使い方は、今日の目には奇妙に映るかもしれないが、合衆国憲法の原文通りである。

一九世紀末からは、一八六八年に成立した第一四修正の第一節中の「州は、何人からも、due process of law(法の適正な過程)によらずに、その生命、自由または財産を奪ってはならない」とする規定――いわゆる due process clause(*1* 参照)――が、財産権保護の中心的規定になる。すなわち、一八九〇年代に、due process of law とは、立法が手続面で適正であることのみならず実体面でも適正であることをも要求するものであるという解釈が、判例上確立される。とくに、経済立法は企業に「公正な利益」を保障しなければ due process によらずに財産を奪うことになるとされたこと、および、労働力をどのような条件で売り買いしようとそれはこの条項の「自由」の一つとしての liberty of contract(契約の自由)の一部であって、最低賃金法その他の法律でこの「自由」を奪う結果が生ずればそれは違憲であるとされたことが、大きな意味をもった（前掲書三〇〇—〇八頁）。このような解釈が棄て去られたのは、一九三七年に始まる一連の判例変更——それは Constitutional Revolution, Ltd.とよばれたほどの大きな変化をもたらした——によってである。

ところで、州が州民の福祉の維持・増進のために法律を制定する権限を本来的に有するとする police power の観念は、これら合衆国憲法の規定に基づく州の立法権の制約に対抗する機能をもった。ある州の立法が財産権に対し制約的に作用するけれども、その内容からいって州の police power の適正な行使と認められるから、合憲であるというように。そのことは、上記諸条項の拡張解釈を抑制する際のよりどころともなった。

⁂

さきに掲げた合衆国憲法第一編一〇節一項中の条項は、一般に "contract clause" とよばれている。

この条項の中の "obligation of contracts" という言葉は、かつては「契約上の債務」と訳されることが多かった。しかし、「契約上の債務を害する」という表現は、何となく落ち着きが悪い。害されるのは債権であって、その結果として債務が影響を受けるというのが筋のような気がするのである。その上、この条項のねらいが、独立直後いくつかの邦（state）で制定された債務のモラトリアムを定める法律などの債務者保護立法を禁じ、債権者の立場を護ることにあったことからいって、債権の保護ということを正面に押し出せる訳が可能なら、そのほうがよいのではないか、と私は考えた。

Obligationという言葉は、今日では「債務」「責務」「義務」という意味に用いられるのが通例であるが、元来は、法律上の権利者と義務者の関係を指す言葉であった（Jowitt's Dictionary of English Law 1270（2d ed. 1977）参照）。とすれば、合衆国憲法のobligation of contractsを「債権債務関係」と訳すことも可能なのではないか。そして、そう訳せば、いわば副産物的に、かつてobligation of contractsという言葉が、われわれの「債権」あるいは「債務」というきっちりとした言葉ではなく、例えば契約が履行された結果取得された権利までも含むような幅のある言葉と解釈されていたことをも、そこはかとなく映すことができるのではないか。というわけで、私は、「契約上の債権債務関係」という訳語を採って来た。

⁂

Obligationという言葉が、元来は権利者と義務者との間の関係を指す言葉であったと言うと、少し本を読んだ人の中には、大陸法ではすべての問題を行為者の意思を中心として考察するのに対し、英米法においては当事者間の「関係」を中心として考察する傾向が強いという説があるが、それはここにもあらわれていると早合点する人もあるかもしれない。しかし、ローマ法でも、*obligatio*は「債務関係でも、債権でも債務でも、債権証書でもあり得」た（原田慶吉『ローマ法上巻』一四八頁（一九四九））のである。（なお、英語の文献としては、W. Buckland, A Textbook of Roman Law 403-04 (1921) を見よ。）

⁂

財産権の保障も大事だが、州が州民一般の福祉のために立法することにも敬意が払われなければならないということを早い時期に雄弁に説いたものとしては、Charles River Bridge v. Warren Bridge, 11 Pet. 420 (U. S. 1837) におけるグリーンリーフ (Simon Greenleaf) の弁論があり、またこの事件の判決におけるトーニ首席裁判官の意見がある。

この事件の事実関係は、次のようなものである。一七八五年に、マサチューセッツ州の議会は、A会社に、ボストンとチャールスタウンの間にチャールズ河をまたぐ橋をかけることに許可を与え、かつこの橋を渡る人や馬車などから通行料を徴収することを認める法律を制定した。ところが、一八二八年に、同州議会は、B会社に対しA会社の橋の近くにもう一つ橋をかけることを許すとともに、この二番目の橋の完成後当初は通行料を徴収することを認めるが、橋の建設費が償却された時または橋の完成後六年経過した時のいずれか早い時に橋は州のものとなり通行は無料となる旨を定める法律を制定した。そうなると、これまでA会社の橋を金を払って渡っていた人々のかなりの部分がB会社の橋を渡るようになり、A会社の収益が大いに減少することは必至である。そこでA会社は、一七八五年の法律は州とA会社との間の契約であり、一八二八年の法律はこの obligation of contracts を害するものであって無効であると主張し、B会社による橋の建設を差止める injunction（差止命令）または他の適切な救済を求めて裁判所に出訴した。

A会社は、州の裁判所でも、またそこからの上訴を受けた合衆国最高裁判所でも敗訴する。

しかし、もしこの事件がマーシャルが首席裁判官であったうちに判決されれば結論は逆になったであろうと推測されている。そのことが示すように、この判決は、財産権の保障に関する合衆国最高裁判所の判決の流れを変えたものとして、重要な意味をもった。のみならず、この事件の背景には、マサチューセッツ州における旧支配層に対する反撥があり、その意味でも世人の注目を集めたのである（田中英夫「アメリカ法における競争社会の到来」『英米法の諸相』八三頁（一九八〇）参照）。

当時ハーヴァード・ロー・スクールの教授であったグリーンリーフは、この事件でB会社の弁護士として活躍するが、彼の弁論には、次のような言葉が見出される。

「政府の権限の中には、……課税する権限、共同の防衛に備える権限のみならず、公衆の必要と便宜（public necessity and convenience）のために安全かつ便宜な手段を提供する権限、および私有財産を公共の用のために収用する権限がある。これらはすべて主権の本質的属性なのであり、それなしにはどの社会もちゃんと存在することができないのである。そしてそのような必要があるから、これらの権限は常に無傷で存続しなければならない。……立法部の行為で将来立法部が公共の善を図るという付託に応えることを不可能とするようなものは、無効とされなければならない」(11 Pet. at 466)。

トーニ首席裁判官の意見にも、次のような箇所がある。

「私有財産権は神聖なものとして保護されなければならないが、それとともにわれわれが忘れてはならないのは、社会もまた権利を有するということ、そして、一人一人の市民の幸福と福祉とが社会の権利が忠実に維持されることにかかっているということである」(11 *id.* at 548)。

グリーンリーフもトーニも、ここでは police power という言葉自体は用いていない。しかし、彼等の考えは、その後、police power を根拠として財産権の保障の行き過ぎをチェックしようとする人々によって、しばしば引用されるのである。

9 Brandeis Brief
——ブランダイス風準備書面

私がアメリカで授業を受けていた時に、先生から「Brandeis brief とは何か」と質問された学生が、「long brief のことです」と答えたので、教室中大笑いになったことがある。念のために蛇足をつければ、brief には、教皇の出す小勅書、要領書、指示、要旨説明などという用法のほか、訴訟手続に関して用いられるときには、準備書面、上訴理由書を指し、また、下着のブリーフという意味に——通常は複数形をとって——用いられる。この二つが重なり合い、かつ、Brandeis brief に対する理解が十分でないことをそこはかとなく示したところに、この答えのこっけいさの源がある。

Brandeis brief は、確かに長くなる。しかしそれは、一つの法学上の主張を実務の面で実践しようとした結果のことなのである。

⁂

一九一六年から一九三九年まで合衆国最高裁判所の裁判官であったブランダイス（Louis D. Brandeis）は、一八五六年生まれ、一八七七年にハーヴァード・ロー・スクールをその後長く同校の記録として残る最優秀の成績で卒業後、一年間大学院で研究し tutor をやった後、弁護士となった。最初はセント・ルイスで開業したが、まもなくボストンに戻ってクラスメイトのウォーレン（Samuel D. Warren）――有名な *The Right to Privacy*, 4 Harv. L. Rev. 193 (1890) をブランダイスと共同執筆した人――と一緒に法律事務所を開いた。ブランダイスは、弁護士として大成功し、収入も大きかったが、次第に、独占企業に対する法的規制、労働者その他の弱者の保護というような公的性格をもつ事件を多くとりあげるようになった。People's Lawyer という愛称もそこに由来する。なお、ブランダイスは、これらの事件については報酬をとらないのを例としていたが、事務所に対しては、その時間に見合う分の補いをしていたということである。

ブランダイスがとりあげた公的訴訟の一つに、一九〇八年に合衆国最高裁判所が判決したMuller v. Oregon, 208 U. S. 412がある。この事件で問題となったのは、洗濯業に雇傭された婦人の労働時間を一日一〇時間に制限するオレゴン州法の合憲性であった。

合衆国最高裁判所は、これより先、一九〇五年のLochner v. New York, 198 U. S. 45で、製パン業に従事している労働者の労働時間を一週六〇時間または一日一〇時間に制限する法律を、五対四で違憲としていた。個人が自分の労働をどのような条件で売るか、企業がそれをどのような条件で買うかは、各人の契約の自由（liberty of contract）の一部であり、合衆国憲法第一四修正の「州は……何人からも、法の適正な過程（due process of law）によらずに、その生命、自由または財産（life, liberty, or property）を奪ってはならない」という規定は、このような「契約の自由」を保護するものであるとされたのである。この判決で多数意見を書いたペッカム裁判官は、「この法律が、一般人の健康または製パン業に従事する人々の健康の維持に必要だとすべき合理的な根拠はない」（*id.* at 61）から、それをpolice power（福祉権能

――7参照）の範囲内のものとすることはできないとしたのである。

Muller v. Oregon の弁論にあたって、ブランダイスは、Lochner v. New York という先例の壁を乗り越える必要があった。印刷して一一三頁という長さの彼の上訴理由書（brief）は、そのための努力の結晶である＊。

＊ この brief の全文を知るには、16 Landmark Briefs and Arguments of the Supreme Court of the United States : Constitutional Law 63—178（P. Kurland & G. Casper eds. 1975）が便利である。

彼は、論旨（argument）の冒頭で、法律論を五点に分けて簡潔に述べる。この部分は、二頁足らず。残りの一〇〇頁余は、この問題の判断に関連のあるデイタの提供にあてられる。第一に、ヨーロッパ諸国が婦人の労働時間に制限を設ける必要があると判断していることを示すために、立法例が引用され、次いで合衆国でも（工場で働く婦人が多い州のほとんどを含む）二〇州が同旨の立法をしていることが指摘される。第二に、婦人の労働時間の制限が必要であることを次の諸点に分けて説明する。①長時間労働のもたらす危険、②労働時間の短縮が唯一の可能な保護方法たること、③労働時間短縮の一般的な利点、④労働時間短縮の経済的側面、⑤制限は均一的たるべきこと、⑥一日一〇時間労働の合理性、⑦洗濯業〔の性質〕。そして、それぞれの項目について、ブランダイス自身による叙述は手短で、裏付けとなる資料の列挙に重点が置かれている。内外の公私の報告書の要約・引用は無数といってよいほどであり、著書・論文の一部の引用も多い。

ブランダイスは Lochner v. New York の多数意見の中の言葉を手がかりに、この法律が「健康・安全・道徳および一般の福祉」のために必要なものであることを示すことによって、最高裁判所が、先例を正面からくつがえすことなく、前の事件と実質的に異なる結論を出すことを可能とするための素材を提供することを試みたのである。

Muller v. Oregon で、最高裁判所は、問題となった法律を合憲とするが、それはブランダイスの創意と努力が実を結んだものとみてよいであろう。そして一九一七年の Bunting v. Oregon, 243 U. S. 332 は、男女にかかわらず労働時間を制限する立法を合憲とする。しかし、一九二三年の Adkins v. Children's Hospital, 261 U. S. 525 は、賃金の額をいくらにするかは労働契約における「契約の自由」の核心であるとし、最低賃金法を違憲とする。このような意味での「契約の自由」の法理が廃棄され、経済立法・労働立法の進展への制約が除去されるのは、一九三七年以降の一連の憲法判例の変更によってであった。

＊
＊＊

ブランダイスの試みは、法をその社会的背景との関連において把握すべしとする、パウンド（Roscoe Pound, 1870-1964）によって代表される新しい法学の立場の実践であった。それが Muller v. Oregon で最高裁判所を説得しえたことは、人々の注目を集めた。前記一九二三年の Adkins v. Children's Hospital で、（これも後に合衆国最高裁判所裁判官となる）フランクファータ（Felix Frankfurter）が、（敗れはしたが）上訴理由書の中で同じような試みをしている。

ブランダイス風に、アメリカ人がしばしば sociological facts と総称するさまざまのデイタを掲げることによって、裁判所の判断に影響を与えることに成功したものとして有名な例としては、さらに、公立学校における黒白別学は違憲である旨を（先例を変更して）明らかにした一九五四年の Brown v. Board of Education, 347 U. S. 483 がある。後に黒人として初めて合衆国最高裁判所裁判官となるサーグッド・マーシャル（Thurgood Marshall）を含むブラウン側の弁護団は、上訴趣意書において一三頁に及ぶ法律論を展開した後、別に附録（Appendix）として、"The Effects of Segregation and the Consequences of Desegregation : A Social Science Statement" という文書を提出した。この文書の巻末には参照文献表が付され、計五六点にのぼる心理学・社会学・社会心理学等々の著書論文が挙げられているが、本文ではそれらを基礎として、人種の分離および人種的偏見が、たとえ物的施設が同等でも人種的少数者に属する子供達の間に劣等感を植えつけ、それが子供の心理、社会に対する態度、行動様式に影響を与えることなどが指摘され、さらに、北部の黒白共学の学校で教育を受けた黒人児童のほうが知能指数が高いことが記されている（49 Landmark Briefs and Arguments of the Supreme Court of the United States : Constitutional Law 43-66 (P. Kurland & G. Casper eds. 1975)）。

このような経験が積み重ねられた結果、Brandeis briefは、アメリカの実務家がそれが有効だと思えば用いるべき重要な道具の一つとなっている。法に関する純粋理論的な主張が、実務にとっての有力な武器を産んだのである。

10 Legislative Fact
——立法事実；立法的判断に関する事実

9で説明したBrandeis briefが裁判所に提示しようとする事実と、訴訟法で事実認定が問題とされるときの「事実」とはその性質を異にすることに、気がついた人も多いであろう。事実認定の場で問題となる事実は、何年何月何日どこそこでAの車とBの車が衝突したが、その直前にAの車は時速何キロで走っていたか、Aは前方を注視するなど前方への注意を怠っていなかったかというように、まさに当の事件限りの事実である。従って、証拠も、その事実を見聞した人間を証人としてよんで証言させるなど、その事件限りの、そういう意味で他にかけがえのない方法によることになる。

ところが、Brandeis brief のように女性の労働時間の長さの及ぼす影響を示すということだと、そこでの事実は、いわば一般的な事実である。その事件限りの事実を見聞した人間を、場合によっては勾引してでも（民訴法二七八条参照）法廷に連れて来なければ裁判が出来ないという場合とは異なる。そういう事実を知っている人はたくさんいる。のみならず、裁判官自身だってその種の事実を知っていることが少なくない。そして、裁判官が法の解釈、法形成を行なうにあたって、こういう点での自らの知験を判断材料の一つとすることは差支えないし、現にしばしば行なわれている。

＊＊＊

Legislative fact という言葉は、後のタイプの事実を指すために用いられる。そして legislative fact という言葉が一般化すると、それと区別する意味で、前のタイプの事実――古くから訴訟法で問題とされて来た「事実」――を指すために adjudicative fact という言葉が産みだされる。

Adjudicative fact は、性質上訴訟との関連においてのみ問題になるが、legislative fact は、そうとは限らない。議会が立法をする際にも、なぜその立法が必要か、どうしてそのような立法をしたかの背景に、立法部によるその分野の一般的事実状況の把握が存在する。同じことは、行政委員会・行政庁による規則の制定にもあてはまる。Legislative fact という言葉は、このような場合の立法部・行政部の事実認識を指すのにも使われる。

この点について、アメリカの議会が、時に、法律の中で議会の事実認識を述べることがあるということを、付記しておく。

⁂

訴訟との関連で、legislative fact の問題が意識されるようになったのは、そう古いことではない。

裁判を「法の適用」と「事実の認定」に二分する考えからいえば、legislative fact の問題は、(多くの場合無意識のうちに)「法の適用」の中に含められていた。法の適用の際に、法の解釈さらに判例を通じての法形成 (law-making) が必要になることがある。その場合、裁判官が甲という解釈をとるか乙という解釈をとるかは、最終的には価値判断の問題であることは、しばしば指摘されているところである。ところで、価値判断といっても、問題の背景となっている事実――9で出て来た言葉を使えばsociological facts――と全く無関係に、純粋に抽象的な思弁のみによって結論に到達するということは少ないはずである。しかし、問題が「法律問題」であるとされるだけに、裁判官はいわば自分なりの事実認識を基礎に「法の解釈」をし、結論を出すことが多かった。そしてその際、事件の背景となっている事実関係――sociological facts――についてどういう認識をもっているかは、判決の中では表示されないのが通例であった。東京都の公安条例を合憲とした最高裁判所の判決（最高判昭和三五年七月二〇日刑集一四巻九号一二四三頁）は、集団行動による思想表現について「平穏静粛な集団であっても、時に昂奮、激昂の渦中に巻きこまれ、甚だしい場合には一瞬にして暴徒と化し、勢いの赴くところ実力によって法と秩序を蹂躙〔する〕……ような事態に発展する危険が存在すること、群集心理の法則と現実の経験に徴して明らかである」と、裁判所の法解釈の基礎となった事実認識を明言しているが、このようなことは、むしろ例外に属するのである。

＊＊＊

Brandeis brief のねらいの一つは、法解釈にあたって裁判官が意識的・無意識的に前提している事実認識の正しさを問うことにあるといってよかろう。ブランダイスの最初の試みを例にとれば、二〇世紀初頭に多くの人が信じていた経済上の自由放任主義に対して、それが実際上どういう効果をもたらすかを示し、それが必ずしも他の国々でも当然のこととされているわけではないことを明らかにする。そのことが、裁判所のとっている due process clause の解釈が「法理論上」誤りであるという解釈論を論理的に展開するよりも有効であるとブランダイスは考え、また現にそうだったのである。

＊＊＊

今日、アメリカの裁判所は、重要な法律問題の決定にあたって、その問題に関連のある sociological facts が広く裁判所に提示されることを求め、またいくつかの可能な法解釈のそれぞれが実際にどのような効果をもつであろうかについての意見を求める。両当事者の弁護士の提出する準備書面・上訴趣意書・答弁書中の記述が裁判所への情報源として重視されるが、そのほか、必要に応じ、その問題に詳しい人・機関が amicus curiae (裁判所の友) という資格で意見を陳べることを認める。

ちなみに、amicus curiae として発言することを認めるかどうかは、裁判所の裁量にかかる。Adjudicative facts については、それが当該事件限りの事実であるため、それを実際に見聞したことを根拠に証人等となる資格をもっている者は限定されるが、legislative facts の場合には、そういうことはない。従って、申し出があった者にすべて発言を認めていては、重複も多く、審理が遅延するばかりということになる。Amicus curiae は、基本的には、裁判所が自らの判断を慎重ならしめるための制度——まさに「裁判所の友」——なのである。

***

Legislative fact は、「立法事実」と訳されることが多い。しかし、私としては、この訳が立法すなわち成文法を制定する過程に関係のある事実のみを指す響きをもつこと、および、この訳との対比で adjudicative fact を「司法事実」「裁判事実」としたときの訳語としての中身のあいまいさが気になる。あるいは、少し長くなるが、legislative fact を「立法的判断に関する事実」adjudicative fact を「裁判上認定すべき事実」とでもするほうがよいかもしれないと考える。さらにいえば、「立法」というとどうしても成文法のみが想起されることになりがちだから、legislative fact が具体的事件の法律問題に対する判断を示すことによって行なわれる裁判所による法形成の資料となる事実をも含むことからいって、「法形成に関連する事実」としたい——そして adjudicative fact を「裁判手続によって認定されるべき事実」としたい——気もするが、それはやや原語から離れ過ぎるというべきかもしれない。

11 Legislative History
——立法経過

Legislative history というと、立法史のことかと思う人が多いだろう。立法史と訳してもよいような場合がないわけではない。しかし、多くの場合、それでは偉すぎる。この言葉は、立法が出来上がるまでの経過、ないしその経過を示す資料——議会の本会議や委員会の議事録、実際に立案に当たった委員会の記録など——を指すのである。大きな立法あるいは重要な立法で何度も改正されたようなものなどについては、それは「立法史」という言葉にふさわしいようなものになるかもしれないが、通例は「立法経過」とでも訳したほうがぴったりする。この場合、訳語は「小は大を兼ねる」ということになりそうである。

⁂

英米で legislative history ということが問題になるのは、主として、制定法の解釈との関係においてである。

イギリスでは、制定法の解釈にあたって legislative history を引用することは許されないという立場がとられて来た。法律で拘束力をもつのは、あくまでもその文言であり、それ以外のものに依ることは許されない――国会が法案を通過させたからといって、立案者の意図したところを承認したとは限らない（Assam Railways & Trading Co. v. Commissioners of Inland Revenue,〔1935〕A. C. 445, 448（1934））――とするのである。これを extrinsic material（外部資料）――または extrinsic evidence（外部証拠）――排斥の法則とよぶこともある。

法律の解釈にあたっては、文理解釈が出発点となる。これを以下に述べるようないくつかの法則が補充するが、その場合にも、文言が明白に指し示すところを変更することは許されない。

このような補充的原則をいくつか挙げてみよう。

①法律の解釈にあたっては、その法律制定前の法にはどのような難点（mischief）があり、それに対しその法律がどのような是正措置（remedy）をとったか、是正措置の理由は何か、を考慮すべしとする原則がある。Mischief rule あるいは（このことを簡明に表現した判例の名をとって）Rule in Heydon's Case〔(1584), 30 Rep. 7, 76 Eng. Rep. 637 (K. B.)〕とよぶ。この場合にも、旧法がどのようなものでありどこに難点があったか、新しい法律がどのような是正措置を講じその理由は何であったかは、法律の規定——旧法が判例法の場合は判例自体——を資料として見出すべきであり、extrinsic material に依ることは許されないとされる。ただし、近年、この原則に対する例外として、重要な立法の場合にしばしば組織される Royal Commission（王立委員会）および法改革のための常置の委員会である Law Commission（法律委員会——一九六五年の法律で設立）などの報告書について、裁判所は、旧法の難点が何であったかを明らかにするためには、これを利用しうるとされるようになった。しかし、それに対する是正措置が何でありその理由が何であったかについては、これらを利用することはできないというたてまえ——実際に mischief とそれに対する remedy が截然と区別されうるかはとも

かく――がとられている。

②条約の内容を国内で実現するために制定された法律については、解釈にあたってもとの条約を参照することが認められている。しかしここでも、法律の文言が明示するところを変更することは許されない（Forthergill v. Monarch Airlines, Ltd.,〔1977〕3 All E. R. 616, 622-24（Q.B.)）。

③法律の解釈においては、イギリス人が法の基本原則と考えて来たような点は変更されていない、と推定すべきであるとの原則がある。例えば、(i)基本的な自由権と考えられるものは、奪われないという推定、(ii)財産を無償で没収することは行なわれないという推定、(iii)裁判所に出訴する権利は奪われないという推定、(iv)行政機関に権限が与えられたときには、それが合理的な形で行使されるべきであるという推定、(v)法律は遡及的には適用されないという推定など。推定則であるから、法律が疑問の余地のない明文でこれに反することを定めていれば、それによることになるが、そうでなければ、こういう基本原則は維持されているものと解釈すべきであるとされるのである。

このほか、文理解釈の際における文言解釈に関する原則がいくつかある。どういうわけだか、ラテン語で表現されることが多い。例えば、次のようなものがある。

①Rule of *ejusdem generis*（= of the same kind）――列挙された言葉の後に一般的な言葉が用いられているときは、その意味は列挙されたものと同種のものと解釈するという原理。ある法律に“no tradesman, artificer, workman, labourer or other person whatsoever”とある場合、最後の文言は一見すべての人を指すようにみえるが、それまでに列挙された人々と同種の職業に従事する者のみを指すと解釈すべきであり、従って farmer は含まれないとされた。Rule of *noscitur a sociis*（= A man is known from his associates.）という原理も、同様のことを指す。

②Rule of *ut res magis valeat quam pereat*（= that a thing may become effective than null）――ある文言について、それが無意味になるような解釈と意味をもつような解釈との双方が可能なら、意味をもたせるような解釈をとるべきであるとの原則。

〔付記〕　イギリスの Law Commission は、一九六九年に制定法の解釈についての提言を盛った報告書（Law Com. No. 21）を公にし、extrinsic material の利用を従来よりも若干広く認めることを提案した。しかし、一九七五年の Committee on the Preparation of

Legislation〔通称 Renton Committee〕の報告書（Cmnd. 6053）は、白書、Royal Commission の報告書などを法律の解釈に参照することに否定的な立場をとった。

⁂

アメリカでは、イギリスと異なり、法律の解釈にあたって legislative history が大幅に参照される。解釈の態度の面では、（法域によって差はあるが全体としてみると）イギリスよりも文理解釈のウェイトが低いが、日本に比べると文言から離れるのに臆病であることが多いように見受けられる＊。

＊ 憲法、とりわけ合衆国憲法の解釈は、自由な態度でなされる。以下の叙述は、通常の法令の解釈を対象としたものである。

アメリカでは、裁判、とくに重要な事件の上訴に際して、弁護士が委員会の記録、議会の速記録などを豊富に引用して、ある法律のこの文言は立法当時……という意味だと了解されていたのであり、従ってそのようなものと解釈されなければならないと主張する例が、数多く見出される。そういう主張が展開されると、相手方の弁護士も、legislative history を詳細に検討して、これに反駁を加えることに努力しなければならなくなる。そして、裁判所もこれを承けて、判決の中で legislative history を引用して自らの法律解釈を基礎づけようとする。時には、同じ法律に関する legislative history から、多数意見は甲が立法当時の理解であったとし、少数意見は乙と理解されていたとしている例も見られることになる。

　これらの場合、legislative history の叙述は、引用を明らかにしつつ詳細な形でなされることが多い。わが国の上告理由書あるいは判決では、明示的に legislative history が引用されることがより少ないのみならず、その引用も通例簡単なものにとどまるのと好対照をなしている。

　これは、一つには、文理解釈中心主義の伝統を承け継いだところから出発したアメリカでは、ある文言の「客観的」意味を明らかにしようという態度が、依然としてわが国よりは強く、それだけに資料に基づいて立法当時の理解が論証されることが解釈にとって（日本の場合よりも）ずっと大きな力を発揮することによるものではないかと思われる。

人的には、重要な事件の大部分を処理するのが、非常に多くの弁護士をかかえたロー・ファームであること、また、それぞれの裁判官にロー・スクールを出たばかりの若い有能なロー・クラーク（law clerk）が（しばしば複数）ついていることが、このような詳密な作業を可能にしているといえよう。

反面、legislative history の調査が実用的な目的でなされることが多いために、立法経過における説明や質疑応答のうち自説に有利な部分だけをコンテクストから切り離して引用するということが、弁護士だけでなく、裁判官、さらに時としては学者によってなされることもあるように、私には思えてならないのである。

12 Queen's Counsel
——勅選弁護士

イギリスが、弁護士制度について、わが国やアメリカと異なり、二分主義を採り、弁護士を barrister と solicitor の二つの層に分けていることは、よく知られているところである。

この barrister, solicitor という言葉の訳として、しばしば「法廷弁護士」「事務弁護士」という表現が用いられている。同じ系統の訳として「訟廷弁護士」「廷外弁護士」というのもある。これは、事物、訴額によって管轄権が限定されていない第一審の裁判所で、その意味でわが国の地裁に相当するといえる High Court（高等法院）以上の裁判所で弁論できるのは、

barrister だけだということに由来するものであろう。High Court レヴェル以上の裁判所は、superior courts（上位裁判所）とよばれ、いわばイギリスの司法制度の華であり、判例法の形成の主役である。しかし、量的には、大部分の事件はそれ以外の—— county court（県裁判所）をはじめとする—— inferior courts（下位裁判所）あるいは各種の administrative tribunals（行政的裁判所）によって処理されており、これらの裁判所では solicitor も出廷して弁論できる。従って、「法廷弁護士」「事務弁護士」という訳は、solicitor は法廷に出ることがないという印象を与える点で、好ましくない。

別の訳語としては、「上位弁護士」「下位弁護士」というのがある。確かに、barrister のほうが、伝統的に、社会的にはプレスティージが高い。しかし、弁護士制度上は、barrister と solicitor とは全く対等である。まず solicitor になってから後に barrister に昇格するというようなものではない。弁護士団体も、それぞれ別個に存在する。従って、「上位弁護士」「下位弁護士」という訳は、不適切である。

と考えて来ると、「バリスタ」「ソリシタ」と表現するほかはないということになってしまう。それでは訳語とはいえないではないかと言われれば、その通りだが、仮名で書いてもあまり長い表現ではなく、また日本の法律家の中ではかなりよく知られている言葉なので、誤解の可能性の大きい訳語を用いるよりは、このほうがよいと思う。

⁂

Queen's Counsel とは、このバリスタのうち能力の優れた者の中から、毎年約三〇名を選んで、女王が付与する称号である。女王がこの権限を行使するに際しては、イギリスの全司法組織の長として機能する Lord Chancellor（大法官）の推薦に従う。なお、推薦を受けるのは、一〇年以上バリスタとして実務に従事したものに限られる。実際には、平均して二〇年近くのバリスタ歴のある者が選ばれているようである。

Queen's Counsel というと、「女王付弁護士」あるいは「王室弁護士」（研究社『英和大辞典』一九六〇年版）という感じがするかもしれない。事実、発生的には、Queen's Counsel は、コモン・ロー法曹一般が国王の権力の拡大に好意的でなかったテューダ朝末期に、国王の法律顧問を確保する目的でその萌芽が生じ、一七世紀のステュアート朝のもとで制度として成立したものであった。しかしながら、光栄革命を経て、イギリスの統治体制が基本的にはコモン・ロー法曹が唱えていたような線で確立され、国王もそれに従うようになって、国王とコモン・ロー法曹の対立が消滅すると、国王の法律顧問を確保するという必要はなくなって行く。そのため、Queen's Counsel は、一八世紀末までには、栄誉の称号化して行く。ただ、Queen's Counsel は、国王の許可がなければ、訴訟における国王（＝国）の相手方の代理人になってはならないというルールに、この制度の成立の由来の名残がみられたが、一九二〇年以来、このような許可は（個々の事件ごとにではなく）一般的な形で与えられているので、そういうこともなくなった。

　このような性質のものであるので、Queen's Counsel は、「勅選弁護士」と訳すのが適当なように思われる。「勅任」とすると、旧憲法体制下の勅任官が連想され、ある官職に任命されるというニュアンスがつきまとうので、むしろ貴族院の勅選議員にヒントをえて、「勅選弁護士」という訳語を用いたい。

＊＊＊

Queen's Counsel という称号は、君主が男性の時は King's Counsel になる。略称も、Q.C.

でなく K. C. になる。これはイギリスの制度のあちこちで生ずる現象であって、例えば、High Court の三つの部のうち最大の Queen's Bench Division（女王座部）は、君主が男性の時は King's Bench Division とよばれる。

Her Majesty という尊称も His Majesty に変わるが、このほうは、略称は変化しないのが、救いである。例えば、Her Majesty's Stationery Office は、His Majesty's Stationery Office になるが、略称はどちらも H. M. S. O. である。

＊＊＊

ところで、Q. C. は、上に述べたように、「大先生」的存在である。そして外見的にも、それと判かる措置がとられる。第一に法服が絹になる。Q. C. になることを to take silk というのは、ここに由来する。法廷に臨む際につけるかつら（wig）も、カールの多い立派なものになる。法廷の中では、法廷の中ほどを横断している木製のしきりの柵（bar）の中——裁判官により近い方——に坐る。また、必ず Q. C. でないバリスタ——これを junior barrister とよぶ——を従えて出廷しなければならないとされ、また、pleading（訴答）などの書面の起草は、junior barrister に任せなければならないとされて来た。バリスタは、ごく限られた例外を除き依頼者と接触することは許されないので、依頼者との応待という時間をとる仕事から解放されているが、Q. C. になると、さらにルーティン・ワークからも大幅に解放されることになる。Q. C. に関するこのルールは、一九八〇年に廃止された——現行の Rules for the Acceptance of Instructions by Queen's Counsel 参照——が、今日でも、Q. C. は、事件の依頼を受けた際に別段の取りきめがなされない限り、junior barrister と共に出廷することを依頼されたものとして行動しうるし、また、junior barrister と一緒でなければ十分な弁護活動ができないと考えたときは、事件を引き受けることを断るべきだとされている。文書の起草も、junior barrister を伴って出廷するということではなしに弁護を引き受けた場合に限って、行ないうる。

⁂

Q. C. に事件を依頼することは、一九八〇年までは、彼と junior barrister と、少なくとも計二名のバリスタ、そしてさらに（バリスタは必ずソリシタを通じてでなければ事件の依頼を受けることはできないので）ソリシタ少なくとも一名を依頼することを意味していた。これは、依頼者側からいえば、弁護士に支払う報酬の総額がそれだけ増えるということになる。それだけに、Q. C. に持ち込まれるのは、ほとんどが重要な事件ということになる。

このことは、バリスタがQ. C. への推薦を受けるか否かを決意するときに、考慮すべき点の一つであった。Q. C. になると、かえって依頼される事件数が減り、収入が減るということが生じうるからである。そこで、能力が優れているバリスタでなければQ. C. にはなれないが、逆は必ずしも真ではないことになる。

⁂

イギリスの裁判官の選任について法曹一元の制度が採られていることはよく知られている通りであるが、High Court レヴェル以上の superior courts の裁判官は、(近年ソリシタ出身者がいったん他の裁判所の裁判官になった後で選ばれるルートが開かれたが）原則としてバリスタでなければならないとされている。そして、実際には、これらイギリスの司法制度の中核的存在である裁判所の裁判官の約九割が、バリスタでQ. C. に選ばれている者の中から選ばれている。

Q.C.の数は四〜五百名。イギリス〔＝イングランドとウェイルズ〕の司法制度がロンドン集中型であるために、そのほとんどすべてがロンドンで実務に従事している。そして、古くからの伝統で、彼等は、裁判官とはいわば仲間づきあいをしている。このことは、（Q.C.の数が比較的少ないことと相俟って）裁判官としての適任者を見つけ出すことをより容易にしている。また、選ばれた裁判官が、バリスタ層との一体感をもつとともに、その尊敬を集める基盤ともなっているのである。

13 Bar Association
——法律家協会

Barという言葉はいろいろな意味に用いられるが、その出発点とでもいうべきものは、窓や扉などに打ちつけた木製または金属製の棒ということである。そこから、「かんぬき」のようなものもbarとよばれ、さらに「障害」という意味が出て来ることになる。法律の面でも、barという言葉がそのようなものとして用いられることがある。Plea in bar ——妨訴抗弁——といえば、原告の請求を完全に（その事件限りでなく将来も）斥けるような、実体法上の理由に基づく抗弁や（英米法上手続法的に理解されている）時効成立を主張する抗弁である。既判力

(res judicata) を説明する際に、"A judgment is a bar to another action for the same right."という表現が用いられるのも、このような用法の一例である。

Bar という言葉はまた、「棒」から転じて室内を仕切った横木、さらにそのような横木が設けられている部屋それ自体を指すようになる。「バー」という言葉で多くの人がまず思い出すであろう「酒場」という意味は、こうやって出て来たものである。

イギリスの国会の議場にも、bar がある。庶民院、貴族院それぞれに、議員以外の者はその中には入れないという意味で、言い換えれば議場の境界を明示するために、bar が設けられている。開院式が貴族院の議場で開かれる際にも、国王が玉座に即くと、庶民院にその旨の連絡があり、庶民院議員が貴族院に赴くことになるが、その場合、庶民院議員は、この bar の外に立つことになる。余談ながら、チャールズ一世が一六四二年一月に自ら兵士を率いて庶民院の議場に乗り込み、国王反対の急先鋒であった五名の議員の逮捕を命じた（がこれらの議員がすでに逃げていたので捕まえることができなかった）という出来事以来、国王は庶民院の議場に立ち入ってはならないということが慣行として確立している。開院式のやり方には、この慣行が反映されているのである。

⁂

前置きが長くなったが、表題の bar association と関連があるのは、この「部屋を仕切る横木」の系統の用法である。

イギリスの法廷には、古くから、法廷を仕切る bar が設けられていた。そこから、bar という言葉は、（「酒場」という用法と同じような次第で）まず、「裁判所」「法廷」という意味に用いられることになる。例えば、case at bar といえば、当裁判所に現に係属している事件、さらに、現に審理されているこの事件ということであり、trial at bar といえば、nisi prius ――地方での巡回裁判――で単独裁判官が行なう事実審理に対し、ロンドン（正確にはウェストミンスタ）にある裁判所――いわば本拠地――での審理を指す。

ところで、この bar の内側――裁判官寄り――には、*12*で述べたように、バリスタの中でも、Queen's Counsel（勅選弁護士）という称号を授与された者に限られていた＊。日本でいえば地裁に相当する High Court（高等法院）以上の裁判所―― superior courts ――で弁論できるのは、バリスタだけであるが、Queen's Counsel でないバリスタは、この bar のところまで進み出て弁論をするわけである。そこから、バリスタの資格を付与されることが、to be "called to the bar" とよばれることになる。そしてさらに、バリスタ全体を指すときにも、bar という言葉が用いられる。

ところで、バリスタというのは、正確には学位のような称号である。従って、弁護士としての実務に従事している者だけではなく、裁判官、さらにバリスタの称号をもつ大学教授なども、ここに含まれることになる。

＊ ソリシタは、officer of the court ―― 最終的には裁判所の監督に服すべき存在 ―― と観念されているため、bar の中に入りうる。また、当事者本人が出廷したときも、この bar の中に入る。

アメリカは、法曹をバリスタとソリシタの二層に分けるというイギリスのやり方を継受しなかった。アメリカの弁護士制度は、「単層主義」が採られているのである。

この一つの層から成るアメリカの弁護士に関する諸制度は、イギリスのソリシタのそれを基調として組み立てられている。ただし、元来エクイティの分野の弁護士の名称であったソリシタという言葉は採られず、コモン・ローの分野の弁護士の名称であるアトーニという言葉が選ばれた（「エクイティ」と「コモン・ロー」については、16を見よ）。Attorneyという言葉は「代理人」という意味にもなるので、attorney-at-lawと表記されることも少なくない。他方、代理人であることをはっきりさせるには、attorney-in-factと表記すればよい。

このように単層主義を採ったアメリカにおいて、barという言葉は、バリスタ全体を指すものではなく、法曹全体を指すものになった。

⁂

Bar associationとは、このようなアメリカのbarの団体である。

Barという言葉が「弁護士」よりも広い範囲を指すように、bar associationには、弁護士のみならず、裁判官、（検察官的な仕事にもあたる）政府の法務官、法曹資格をもちながら私企業に雇われている者、さらにロー・スクールの教授なども、加入している。それも、オブザーヴァ的存在としてではなく、同じメンバーとして、積極的な役割を営んでいる。

アメリカのbar associationは、元来、法曹の質の向上と法の進歩を目指して、この目的の実現に協力する意思と能力のある人々のみを会員とするという方針をとった、いわば同志的結合であった。

アメリカの bar association の中で、全国的な組織として最も影響力の強い American Bar Association（アメリカ法律家協会）——略称 A. B. A. ——の結成の過程は、アメリカの bar association のこれらの特色を示している。一八七八年に A. B. A. が結成された時の最大の功労者は、当時、イエイル大学のロー・スクールの教授であったボールドウィン（Simeon E. Baldwin）である。彼が、全米から六〇〇名の法律家を選んで、親睦と利益擁護を目的とするこれまでの弁護士団体とは異なる構想で新しい法律家協会を結成することの可能性と妥当性を検討するために集まってほしいとよびかけ、七五名がこれに応じてニュー・ヨーク州のサラトガ・スプリングズに集まり、規約を作り、二九州から二九一名の会員をえて、A. B. A. が発足したのであった。規約の第一条は、A. B. A. の目的は、「法学を進歩させること、司法の運営を向上させ、全国の立法の統一を図ること、法律専門職業の名誉を維持すること、およびアメリカ法曹の成員間の親睦を増進すること」にあると記されている。

このような同志的結合という性格は、時代が下がるに従って薄れて来た。しかし、A. B.

A. は（全国の法律家の約五五％を会員とするにいたっているとはいえ）今日でも任意加入の団体である。全国的な法律家の団体は、A. B. A. 以外にもいくつか存在する。州によっては、強制加入制――integrated bar――を採っているところもあるが、約半数の州では、依然として bar association は任意加入制の団体なのである。

アメリカの bar association と日本の弁護士会とは、基本的な点で違いがある。とりわけ、bar association は弁護士だけの団体ではないということを明らかにする意味で、「法律家協会」という訳をあてるのが適切であろう。逆もまた真である。私が、The Japanese Legal System (1976) という書物の中で、弁護士会を bar association とせず、あえて practicing attorneys' association と記したのも、このような見地からのことであった。

14 Contingent Fee
——成功報酬

Feeという言葉は、法律用語としては、大別して二つの用法をもつ。

一つは、不動産法上の言葉で、「不動産権」あるいはそれがそもそもは封建法上の言葉であったことを考えて「封土権」とでも訳すべき場合である。例えば、日本法の所有権に最も近いのは、fee simple absolute（無条件の単純不動産権）である。

もう一つの用法は、手数料、報酬ということであり、従って法律の分野では「弁護士報酬」という意味である。表題のcontingent feeという言葉におけるfeeは、こちらの用法である。

では、contingentとはどういう意味か。それは、基本的には、起こるかもしれないし起こらないかもしれない、不確定な、偶発的な、というような意味であり、そこから、「……を条件とする」という意味が出て来る。そしてcontingent feeとは、事件に勝つことを条件とする報酬、すなわち成功報酬を指す。

＊＊＊

イギリスでは、弁護士が成功報酬をとることは、かたく禁じられている。成功報酬を認めると、勝てさえすればよいという態度を産み、司法の公正な運営を害するおそれがある――少なくとも公正に対する疑念を産むおそれがある――というのが、その理由である。

イギリスでは、バリスタの報酬には規制がないが、（依頼者と直接接触する）ソリシタの報酬については、裁判所が監督権をもつ。具体的には、ソリシタの要求する報酬が過大ではないかとして、依頼者から審査の申立てがあれば、裁判所が審査し、その額が不公正または不合理と判断したときは、減額を命ずる。

また、イギリスでは、弁護士報酬は合理的な範囲で訴訟費用に算入される。従って、勝訴した当事者は、(原則として)自分の側の弁護士に支払った報酬のうち相当額を、敗訴した相手方当事者から取り立てることができる。弁護士報酬のうちどこまでが合理的な範囲かも、裁判所が決定する。この関係では、バリスタに対する報酬のうちどこまでが合理的な額かも、裁判所の審査の対象となる。

このように、イギリスでは、ソリシタと依頼者との関係、勝訴当事者と敗訴当事者との間の関係の両面において、裁判所が弁護士報酬の額について審査する機会をもつことになるが、このような審査は、taxation of costs (訴訟費用の審査)の一部であるとされる。Taxation といっても、この場合は課税のことではない。辞典によると、tax という言葉はラテン語の taxare に由来し、taxare は、estimate, compute, censure などの動詞に相応するということなので、こういう語源に由来する用法であろう。そして、この taxation of costs ——訴訟費用というときには複数形をとる——における主役は、taxing master (訴訟費用審査補助裁判官)とよばれる補助裁判官である。Taxing master は、一〇年以上ソリシタをやった者などから、大法官によって任命される。

アメリカでは、イギリスと異なり、（メイン州を除き）成功報酬が認められている。この点では、日本と同じように見える。しかしよく見ると、日本では、事件依頼の際に「着手金」として例えば訴訟の価額の一〇%を払い、勝訴その他により「依頼の目的を達したとき」には着手金と（多くの場合）同額の「謝金」（＝成功報酬）を払うという制度がとられているのに対し、アメリカのcontingent feeは、勝訴したら訴訟の価額に対して一定割合を弁護士報酬として受けるが、敗訴のときには一文もとらないという約束の上に成り立っている。

このことから、アメリカのcontingent feeの機能は、日本の「謝金」制度と異なることになる。すなわち、アメリカのやり方だと、当事者はもし敗けたときにかなりの出費を覚悟しなければならないという不安から解放される。それは濫訴を招くことにならないかと考える人もあるかもしれない。しかし、民事訴訟の場合、勝敗は事前にはそれほどはっきり予見できないことが少なくない。事実問題についていえば、勝敗は、どれだけ証拠を揃えることができるかにかかる面があり、さらに、提出された証拠からどのような心証が形成されるかも、裁判官によって異なるのである。法律問題についても、法律の解釈が分かれているときに裁判所がどの解釈をとるか、当該事件に一〇〇%あてはまる判例はないが関連ある問題についての判例はあるときに裁判所がその判例の趣旨をこの事件に推し及ぼすか、一〇〇%あてはまる判例はあるがこれに対して批判が多い場合に裁判所が判例を変更するか……等々によって、勝敗が左右されることがある。従って、一概に敗ける奴は悪いとは言えない。例えば、独禁法について従来と異なる立場を採った判例は、敗けることもある程度覚悟して提起された訴訟の結果であることが多いのである。

このようなところから、contingent fee が勝ちさえすればよいという態度を産みがちだという批判に対しては、contingent fee でないと、金のない人間の請求、証明に困難が予想される事件、あるいは新しい法律上の主張を展開しようとする事件が、法廷に持ち出されることが難しくなるではないかという反論がなされることになる。そしてこの反論が、人々が問題を裁判所に持ち出すことをエンカレッジするかどうかという、社会における法の役割、訴訟の役割、さらに「法意識」の問題と関連性をもつものであることは、いうまでもない。

ところで、「着手金」と「報酬」とから成る日本の弁護士報酬制度をこのような論争の文脈でみると、「報酬」の存在は、勝てばよいという態度の呼び水――ないしそういう態度がとられているのではないかとの疑念の根拠――として作用し、「着手金」の存在は、訴訟の提起をディスカレッジする機能を営む、ということになるかもしれない。

***

Contingent feeは、依頼者との間にその旨の明示の約束があるときにのみ認められる。

Contingent fee の額の決め方は、それぞれの契約によるわけだが、通例は、二五%から三三⅓%までの間で決められ、さらに、訴訟が上訴審まで行ったらそれより多い額――通例三〇%から四〇%までの間――とするという約束が付加される。日本の場合、仮に「着手金」一〇%「謝金」一〇%とすれば、勝訴側二〇%敗訴側一〇%、計三〇%が、訴訟の両当事者から弁護士に支払われる報酬の合計額ということになることを考えれば、二五%ないし三三⅓%というのは、まあまあというところであろう。

Contingent fee は、すべての事件で行なわれているわけではない。不法行為事件――とりわけ人身事故を含む事件――では広く行なわれているが、商取引に関係する事件などでは、時間当りいくらという基準で報酬が算出されることが多い。これは、この分野では訴訟にならないで問題が片付くことが多いということとも関連しているものであろう。

さらに、日本では、刑事事件についても「謝金」制度がとられているが、アメリカでは、刑事事件で contingent fee をとることは許されない。離婚事件についても、contingent fee をとれるということになると弁護士が救える結婚までこわしてしまうおそれがあるという理由で認められない。のみならず、一般の民事訴訟についても、contingent fee の約束をするとともに依頼者が自ら和解することを禁ずる約束をすることも、public policy（公序良俗）違反として無効とされる。必要な訴訟はエンカレッジするが、法は、不必要な訴訟が法廷に持ち出されることがないようにするという立場をとるものである、というのがその理由である。

このように、アメリカ法は、contingent fee を認めながら、勝てさえすればよいということになることの弊害が大きいと思われる分野については、それなりの手当をしているのである。

15 Burglary
——押込み

強盗という言葉にあたる英語を通常の和英辞典で探すと、burglary と robbery の二つの言葉が併記され、しかもその間の用法の差についての説明が全くないことが多い。

"Burglary"という言葉は、厳密には、盗みを対象としたものではなく、家屋への侵入を対象としたものである。イギリスの Theft Act 1968 の第八条によれば、burglary とは、(a)建物内にある物もしくは建物の一部を盗み、建物内にある者に重大な身体的傷害を加え、建物内にある婦人を強姦し、または建物もしくは建物内にある物に不法な損害を加える目的をもって、建物またはその一部に不法侵入すること、あるいは、(b)建物またはその一部に不法侵入した後、建物内にある物もしくは建物の一部を盗み、または建物内にある者に対し重大な身体的傷害を加えもしくは加えようとしたこと、と定義されている。そして、同条三項は、建物には、人が住んでいる――犯行当時現にそこに人がいたか否かは問わない――船舶または車輌も含まれるとしている。

American Law Institute（アメリカ法律協会）のもとで起草されたModel Penal Code案の§221.1 (1) も、burglaryの定義について、犯罪（crime）を犯す目的で、建物もしくはoccupied structure――船舶、トレーラー、寝台車もしくは車輌で人の宿泊用もしくは事務の遂行用に作られたもので、現に人がいるか否かを問わない――またはその一部に権限なく立ち入ったこととしており、Article 221――この場合の"Article"は「節」に相当――の表題も、"Burglary and Other Criminal Intrusion"となっている。

このように、イギリスでもアメリカでも、burglaryは、犯罪を実行する目的で住居等に侵入すれば成立し、目的とした犯罪が実行されたか否かはこの犯罪の成立には関係がない＊。

＊ Burglary は、元来、コモン・ロー上は、felony（重罪）を犯す目的で、夜間人の住居（dwelling house）に侵入することを指した。それが、後に、misdemeanor（軽罪）を犯すための行為に拡げられ、夜間に限らないとされ、また dwelling house 以外のものをも含むようになったのである。

これに対し“robbery”は、盗みに焦点を合せた観念である。

前記イギリスの Theft Act 1968 の第七条は、robbery を、盗み（theft —— *id.* s. 1（1）によれば他人の物をそれと知りながら永久にその手から奪う意図で自らのものとすること）をはたらき、かつ盗んだ時またはそのすぐ前に、盗みを実行するために人に対して実力を用いまたは人をしてその時と所において実力を行使されるだろうとの脅怖を抱かせることと定義している。

アメリカの Model Penal Code § 222. 1 の定義も、イギリスの Theft Act 1968 のそれとは形は違うものの、基本的には同じ線に立っている。Article 222 の表題が“Robbery and Theft”となっていることも、robbery が盗みに焦点を合わせた観念であることを示している＊。

＊ Robbery について、実力を行使された人またはそういって脅された人が現に占有する物を盗みまたはその面前で盗むということが、元来のコモン・ロー上の要件の一つであった。そして、今日でもそのような要件を認めているところも少なくないが、Aを脅してBに電話をかけさせ、Bの物またはBの占有している物を取るという場合も robbery に入るよう、このような要件を外すところが多くなっている。Theft Act 1968 も Model Penal Code も、その例である。

＊＊＊

ところで、英米では、この burglary や robbery をさらに細分しているところが多い。

イギリスの Theft Act 1968 では、robbery は一種類（最高刑は無期懲役）だが、burglary は、通常の burglary ——最高刑は一四年の懲役——のほか、aggravated burglary というカテゴリーがあり、burglary を犯した際に犯人が小火器（firearm）もしくは模造小火器、犯罪用武器（weapon of offence）または爆発物（explosive）を所持していたときには aggravated burglary に該り、最高刑は無期懲役とされる。

ニュー・ヨーク州では、burglary が first degree から third degree まで、robbery が first degree から third degree まで、おのおの三段階に分けられている。それぞれの構成要件の説明は省略するが、どちらも、first degree は class B felony、second degree は class C felony、third degree は class D felony とされている。同州では不定期刑制がとられ、刑は裁判所が最高×年最低×年という形で言い渡すが、class B felony の場合は最高二五年、class C の場合は最高一五年、class D の場合は最高七年を超えてはならないとされている。

明治四〇年に制定された現行刑法は、当時の新しい刑法思想に従って、犯罪の構成要件を細分化することを避けた。そのことから、いわば必然的に、一つの犯罪についての量刑の幅が広くなることになった。しかし、これは世界の刑法の中ではむしろ例外的であって、英米法系の国でも大陸法系の国でも、各犯罪の構成要件をより詳しく定めて犯罪を細分化しているところが多いのである。

このことは、量刑について裁判官が広い裁量権をもつことを好ましくないとする考え方に基づくとみることができる。しかし、英米法の場合には、伝統的に、裁判官が量刑について広い裁量権をもっていたのであり、ある犯罪をいくつかのタイプに分けるという試みは、裁判官の裁量権が広過ぎることを是正する意味をもつものであることに注意しなければならない。

古来犯罪とされて来た「コモン・ロー上の犯罪」については、陪審または（軽微な事件もしくは陪審審理が放棄された事件においては）裁判官が有罪と認定すれば、量刑については裁判所が適当と認める長さの懲役または適当と考える額の罰金を科することができるとされていた。その後、刑法の分野は法律で定められるのが通例になったが、イギリスその他「コモン・ロー上の犯罪」もなお存続しているところでは、「コモン・ロー上の犯罪」の量刑についてこの立場が維持されている。のみならず、イギリスのCriminal Law Act 1977の第三二条一項は、indictment（正式起訴状）によって起訴され従って陪審審理に付された事件で有罪判決があった場合で罰金を科するのが相当なときには、罰金の額は、従来法定刑の定めがあったものについてもそれに限定されず、裁判所の裁量によって決定しうるものとしている。なお、制定法上の犯罪について懲役を科しうる旨の定めがあるが法定刑の定めがない場合の懲役刑の最高限は、Powers of Criminal Court Act 1973の第一八条で二年とされている。このことは、われわれにとって公理的とされている罪刑法定主義の原則が、英米ではそのままの形では認められてはいないということを示唆するものであろう。

それはともかく、このような伝統に立つ英米の裁判官は、量刑にあたって大幅に裁量権を行使する。犯罪を細分化することは、その行き過ぎをチェックする作用を営むであろう。しかし実際には、それでも、量刑が、よく言えば具体的事件の情況に応じてということになるが、悪くすると他の例と著しく均衡を失したものとなることが生ずる。近年「量刑」ということが、英米の刑事法学界の重要問題としてとりあげられるようになって来たのも、一つにはこのことに由来するのである。

＊＊＊

話を訳語のことに戻そう。

Robbery は、「所持品強盗」と訳されたこともあるが、さきに述べたように、今日では単に「強盗」としてよさそうである。

Burglary のほうは、少しむつかしい。正確を期すれば「犯罪を目的とする居住建造物侵入」とでもいうことになろうが、長すぎて、とくに aggravated burglary などの訳語で往生することになる。「夜盗罪」と訳した例も見受けるが、「盗」が要件でないことは前述の通りであり、今日では（一一三頁の註に記したように）「夜」であることも必要でない。とすれば、（若干の英和辞典がそうしているように）「押込み」と訳してはどうだろうか。こうすれば、first degree burglary は「第一級押込み罪」、aggravated burglary は―― aggravate は「加重する」だが加重されるのは構成要件または刑罰なので――「重大押込み罪」とすれば、うまく収まることになる。

「押込み罪」などというものは存在しないという人がいるかもしれない。しかし、そういうふうに外国の制度をすべて日本の現行制度の枠組で理解しようというものの考え方は、外国のことについて正しい理解をもつ妨げになるだけである。

16 Legal Interest
——コモン・ロー上の権利

Legal interest という言葉を見てまず思いつく訳語は、「適法な権利」「法律上の利益」というところであろう。もちろん、そう訳すのが適切な用法も存在する。また、「法定利息」ないし「法定利率」という意味のこともあり、さらに、「合法的に課しうる（最高限の）利息」という意味に用いられることもある。

このような用法の場合には、legal interest という言葉自体については格別の説明は必要でないであろう。ここでは、鞄に入れて持ち歩けるくらいの大きさの英和辞典には載っていないもう一つの用法について述べることとする。

⁂

英米法系の源がイギリス法であることはいうまでもないが、そのイギリス法は、また、歴史的にはさまざまの流れが重なり合って出来上がったものである。しかも、このような歴史的淵源の多様性が、現行法にも濃い影を落している。

イギリス法の淵源の中で最も重要なものは、common law と equity である。次いで、canon law（教会法）と law merchant（商慣習法――法律商人すなわち弁護士のことであるというような珍説を披露すると笑われる）とがある。Canon law も（中世ヨーロッパ大陸との交易で栄えた商業都市での商人の裁判所で適用された）law merchant も、イギリス法の中では例外的に、ローマ法の影響を強く受けている。

ところで、common law は、中世において国王裁判所（複数）が発展させた法である。なぜ"common"というかといえば、一〇六六年にフランスのノルマンディーから渡ってイングランドの国王となったいわゆるノルマン王朝の国王は、それ以前のアングロ＝サクスン期の国王の正統の継承者であると主張していたのであり、その関係もあって、統治にあたっては、アングロ＝サクスン期の慣習に従うということを約束していた。しかし、封建制の維持など国王にとって重要と思われた事項については、国中で一つの法が行なわれることが望ましかった。そこで、これらの問題については、（慣習は地方によってまちまちでありうるので）王国の一般的慣行によって裁判するという説明がなされた。そのもとで、実際には、法の変容がもたらされたが、このように国の各地に共通の法とされたことが、common law という言葉の起源である。

　これに対する equity は、この common law を補正するものとして発生した。common law を適用するとどうも実質的にみて正義に反することになるのではないかと思われるときに、中世を通じて国王の最大の助言者の一人であった Lord Chancellor（大法官）が、common law 上は権利者である者に対して、その権利を行使するな、あるいは……というように行使せよという命令を発した。また、権利の実現をより効果的にするために、common law 上は認められていない救済手段を考え出した。例えば、十字軍に従軍するAが、Bに土地を譲渡し、これを自分の息子Cが成年に達するまではCのために使用収益し、Cが成年に達したら

Cに権利を譲渡してくれと頼んだとする。A—B間の譲渡が有効になされたら、common law上はBが完全な権利者であり、Cのことなんか知ったことかとBが言っても、AもCも手の打ちようがなかった。これでは正義に反するというので、Lord Chancellorが、Bは確かにcommon law上は権利者だが、その権利をA—B間の了解に従って行使せよとの命令を発した。そして命令に従わない者は、従うまで身柄を拘束した。たてまえ上は、common law上の権利には手が触れられておらず、従って、Bが一生牢獄で過ごす気になれば、それまでである。しかし、実際にはそういう人間はめったにいない。従って、この方法によって、common lawの実質的修正が成しとげられたのである。

このようなequityの救済は、当初はその事件限りの一回的なものとしてなされた。しかし、その例が重なると、これこれの場合にはequityがこういう救済を与えてくれるだろうという予測が生じ、予測は期待を産み、期待は特段の事情がないのに自分だけ救済をえられないのは不当だという感覚を養う。こうして、equityもまた、法的安定性を尊重し、先例に従いつつ運用されるようになる。これがcrystalization of equity（エクイティの結晶化）とよばれる過程である。結晶化は、徐々に進んだが、一八世紀前半には完成していた。

訳語の問題に返ると、かつては、common law は「普通法」equity は「衡平法」と訳されていた。しかし、普通法というのはドイツ法制史上の gemeines Recht に対する訳語と同じになるというので、次第に「コモン・ロー」と表示されるようになり、それとのつり合い上、衡平法でなく「エクイティ」と表記されることが多くなった。

***

ところで、common law が、単に law と表現されることがある。そして、形容詞になるときは、常に legal という言葉が用いられる。Legal という言葉に「コモン・ロー上の」という用法もあるということは、心に留めておかないと、意味をとり違えることになる。

例えば、さきに挙げた例は信託（trust）の原型だが、信託では、B は trustee（受託者）として当該信託財産に対し legal interest をもち、C は beneficiary（受益者）として equitable interest をもつとされるが、それは「コモン・ロー上の権利」「エクイティ上の権利」ということである。（Interest の代りに title（権原）という言葉が用いられることもある。）Legal interest と equitable interest とでどこが違うかといえば、後者は bona fide purchaser（善意有償の第三者）

には対抗できないが、前者はそうではないという点である。

救済手段の面でも、legal remedy（コモン・ロー上の救済手続）と equitable remedy（エクイティ上の救済手段）との二大別がなされる。damages（金銭賠償）は前者だが、約束の内容をそのまま実現させる specific performance（特定履行）、違法行為の差止めを命ずる injunction（差止命令）は後者に属する。そして、equitable remedy は、①legal remedy では救済として不十分な場合にのみ与えられるという、補充的性質をもつとされ、②一応要件を充たしているときでも、この救済を与えるか否かは最終的には裁判所の健全な裁量にかかるとされ、③救済の具体的内容について、法の命ずるところをより有効に実現するという見地から弾力的な措置をとることができ、④裁判所の命ずるところに従わない者に対しては、contempt of court（裁判所侮辱）として、裁判所の命令に従うまで身柄を拘束し、あるいは違反の日ごとにいくらという形で制裁金を課しうる、というような特徴をもっている。

そういう準則を、legal とか equitable とか言わないで説明できないのか、という人があるかもしれない。それはもちろん可能である。しかし、問題は、英米の法律家がしばしばこういう表現を用い、そして、法律家ならこういえば判かるはずだというわけで、この点について何の説明も付していないのが通例だということである。とすれば、英米の法律文献を読むときには、彼等にとって常識とされていることは心得ていなければならないということになる。

＊＊＊

Common law と equity とは、長い間別々に発展して来た。それだけに、いろいろな術語も、それぞれ異なることがある。そもそも、訴訟という言葉が、action at law と suit in equity ——前置詞も異なる——である。判決も、common law では judgment で equity では decree である。こういう使い分けが、以上述べて来たような英米法の歴史的淵源の多様性を反映するものであることに気づかず、日本式に、言葉が違うのは内容が違うからであろうと思い込むと、action と suit は概念上どう異なるかを明らかにしようという無用の努力をしたり、judgment は確か判決のことだったから decree は多分命令のことだろう、という当てずっぽうをやることになったりしてしまうということになるのである。

17 Constructive Trust
——擬制信託

*16*で信託（trust）のことが出て来たが、信託法では、受託者（trustee）は、信託の設定者（settlor）＊が信託を設定した際の意思表示に従い、もっぱら受益者（beneficiary）の利益を図る義務を負う。

英米法では、こういう高度の忠実義務を課せられる関係を fiduciary relationship とよんでいる。信託のほかにも、executor（遺言執行者）または administrator（遺産管理人）と相続人との関係、弁護士と依頼者との関係等々が、fiduciary relationship にあたるとされている。

これに対し、医者と患者との関係など、相手方のことを十分考えることは要求されるが自分のことも考えてよいという関係は、confidential relationship とよばれる。

この fiduciary relationship および confidential relationship という言葉も、元来日本には対応する観念がなかっただけに、翻訳の難しい言葉である。事実、人によって訳語が違い、中には、ある人が前者の訳として用いたものが、別の人によって後者の訳として用いられているという例もある。私は、fiduciary relationship を「信認関係」confidential relationship を「信頼関係」と訳し、前者については、できるだけ、初出のところでは「高度の忠実義務が課せられる信認関係」と表現するようにしている。

ところで、信託は、設定者の意思表示——遺言を含む——で設定される。この意思表示は、terms of trust とよばれる。この terms of trust という言葉は、「信託条項」と訳されている。何となく文書になっているものに限るようなニュアンスをもつのが気になるが、ほかにより良い訳もなさそうなので、私もこれに従っている。

＊ 日本の信託法は、「委託者」という言葉を用いている。これは単に言葉の問題ではなく、信託に対す

る観念の差を反映しており、実定法上も、英米法では、設定者はとくに terms of trust で権限を留保しておかない限り、信託設定後はほとんど姿を消すと言ってよいのに対し、日本の信託法では、いろんなところで委託者が顔を出す、という違いを生じている。

***

ところで、constructive trust とは、ある法の目的を実現するためのテクニックとして、信託設定の意思表示がないにもかかわらず、信託があったと擬制するものである。Constructive trust の法理は、イギリスよりもアメリカでより広い範囲で用いられ、不当な手段で手に入れたものを源とする利益をすべて吐き出させるための強力な手段となっている。

そのことを説明する前提として、一般の信託法理のうち関係のある点を述べておこう。受託者は、terms of trust および信託法の準則に従って、信託財産を管理・運用しなければならない。一般的に言えば、受託者は、信託財産の安全に配慮すべきであり、例えば、投機的な取引は許されないが、他面、安全な範囲では有利な運営を図らねばならず、堅実一方でもいけない。そして、ここでも terms of trust が決定的な意味をもち、そこで認められている運用方法は（事情の著しい変更により誰がみても馬鹿げているということになっていない限り）一般の信託法理上は許されないようなものでも可能だし、特定の運用方法が禁止されていたり指示されていたりすれば、受託者は（特段のことがない限り）これに従わなければならない。

このように、信託財産を運用する結果、信託財産が設定当時の形のままでいるとは限らないことになる。その場合、仮に信託財産が金銭であったとして、受託者がこれで株を買い、次にそれを売り、さらにその売得金で土地を買い……ということをしたとすると、もとの財産が形を変えたといえる限り、新しくえたものが信託財産となる。またもし、第三者に譲渡したことが、terms of trust に反するとか、あまりにも投機的で、信託法上受託者は信託財産の安全を考慮すべきであるとされていることに反するとかいう理由で、受託者の義務に反するとされる場合には、受益者は、その第三者が bona fide purchaser（善意有償の第三者）でない限り、当該第三者からその物の返還を請求することができる。これが、（*16* で述べたように）受益者が信託財産に対し equitable interest（エクイティ上の権利）をもつとされていることの効果である。また、受益者は、受託者が（その義務に反して行なった取引によって）取得した物または金銭に対して、constructive trust が成立したと主張することもできる。

アメリカで、constructive trust の成立を認めることによって、不当な手段でえたものを源とする利益をすべて吐き出させるというのは、以上述べたことの応用である。

例えば、AがBをだまして一万ドルとりあげ、これを株に投資したら、その株が値上がりして三万ドルになったという場合を考えてみよう。BがAにだまされたことを知ってAに金を返してくれと言ったときに、一万ドルプラス法定利息だけを返せば済むというのでは、Aがだまし得になる、とアメリカ法は考える。そこで、この場合、Aはだました一万ドルを信託財産としBを受益者とする信託の受託者であるとみなす。それによって、Aが現在持っている時価三万ドルの株は、この信託の信託財産が形を変えたものであり、Bはその受益者として、Aに対してその株をすべて自分に引き渡せという請求をすることができるとされる。

もし、株が値下がりして六〇〇〇ドルになっていたらどうか。この場合、Bが constructive trust の成立を主張すると、時価六〇〇〇ドルの株をもらうことになる。それでは損なので、Bは、だまされて受けた損害を塡補してくれという請求のほうを選択することになる。

もしAが株をCに売ってしまい、代金を使いはたしていたらどうなるか。BとしてはAを相手にしても仕方がないので、なんとかしてCに請求したいと考えるだろう。そしてもしCが悪意すなわちAがBをだました金でこの株を買ったということを知りまたは知りうべかりしときには、constructive trust の受益者としてのBは、その equitable interest に基づき、Cに対してその株を自分に引き渡すことを求めうる。しかし、Cが善意なら、legal interest（コモン・ロー上の権利）と異なり equitable interest は bona fide purchaser には対抗できないという法理がはたらくので、Bはあきらめるほかはない。

以上の場合、Aがだました一万ドルに自分の金五〇〇〇ドルを足して株を買ったとしたら、どうなるか。その場合には、三分の二が、constructive trust の信託財産だという扱いがなされる。合計一万五〇〇〇ドルで買った株が三万ドルになったとしたら、Bは、時価二万ドル分の株は自分のものだ――それについて equitable interest をもつ――という主張をすることができるのである。

⁂

Constructive trust の中身の説明が少し長くなってしまった。言葉の話に戻ろう。

英米の法律文献の中でconstructive～という言葉が出て来たら、「擬制……」と訳すとしっくりすることが多い。ある状況を基礎に、……という法的関係があったものとconstrueする――解釈し構成する――という言葉の用法である。Constructive noticeといえば、悪意であったと擬制されるということなのである。

もし「擬制……」とすると日本語として落ち着きが悪ければ、「……とみなされること」というように砕いて表現すればよい。例えば、constructive deliveryを「物の引渡しがあったとみなすべき事実があったこと」とするように。これも、時によりけりで、constructive deliveryという言葉がたびたび出て来るのだと「擬制引渡し」とするほかはないが、一、二度しか出て来ないのなら、少し長くても砕いて訳したほうが、日本語らしくなることが多いように思われる。

18 Statute of Limitations
——消滅時効

わが国の民法典は、総則編の中に時効という章を置いて、その中で取得時効と消滅時効の双方を規定し、かつその章の初めに総則と題する節を置いて、取得時効・消滅時効に共通する（と立法者が考えた）規定一九ヵ条を掲げている。このような規定の仕方の歴史的背景およびそれが実際上有意義ないし有益なことであったかどうかは、民法の講義で述べられるところである。

英米法は、こういう一般化をしない。そもそも、取得時効・消滅時効の上に立つ上位概念としての「時効」にあたる言葉がない。強いていえば、prescription ということになろう。フランス法を基礎に発達したルイジアナ州法では、この言葉が「時効」にあたる言葉として、取得時効・消滅時効の双方をカヴァーするものとして使用されている。しかし、英米法系に属する法域では、prescription は取得時効のみを指す言葉なのである。そして後述のように、アメリカでは、prescription による権利の取得を地役権（easement）の取得に限っているのが通例である。その上、消滅時効も単一の制度にはなっていない。コモン・ローでは statute of limitations * というが、エクイティでは laches とよばれ、内容も異なる。*16* で述べた英米法の歴史的淵源の多様性の名残が、ここにも顔を出しているのである。

* イギリスでは、通例 statute of limitation と単数を用いる。また、どちらかといえば、limitation of actions という表現を使うことのほうが多いようである。

***

Statute of limitations の"limitations"とは、limitation of actions（出訴期限）のことであ

る。Statute of Limitationsとは、元来は、出訴期限に関する法律のことであった。イギリスでは、このような法律の最初のものは、Limitation Act 1623である。

わが国の民法が、消滅時効について、実体法上の権利が消滅するという形で規定していること、および、条文の規定の体裁にもかかわらずこれを訴権ないし請求権の期間制限として構成できないかという議論があることは、今さらいうまでもないが、英米法は、（この点では、ドイツ法、フランス法と同様に）訴権の期間の制限という形をとっている。日本民法典の表現との違いを強調すれば、「出訴期限法」「出訴期間の制限」という、これまでも人によっては用いていた訳語によるべきだということになろう。しかし、日本の消滅時効の理解の仕方について前述のような説があるということもあるので、私は、「消滅時効」と訳している。

⁂

Statute of limitationsは、請求権が発生してから一定期間経過すれば、その請求について訴訟を提起できなくなるとするものである。この期間の定めは、法域（＝国または州）によって異なりうる。イギリスでは、deed（捺印証書）による契約については一二年、それ以外の契約および（別段の定めのない限り）不法行為については六年、請求権で判決で認められたものについては（判決の執行が可能になってから）一二年……というようになっている。

具体的な定め方はともかく、statute of limitations の場合には、日本の時効期間の定めと同様に、請求権のタイプごとに一定の期間が法定されている。ところが、laches ―― エクイティ上認められている請求権に関する消滅時効 ―― の場合には、裁判所は、諸般の事情に照らして請求権の行使を不合理に長く怠ったか否かで、判断する。すなわち、時効期間が固定的でなく、弾力的なのである。実際には、statute of limitations 所定の期間が参照され、それより長い期間になることはほとんどないが、短くなることは珍しくない。不法行為についていえば、エクイティ上の救済手段である injunction（差止命令）を求めることは laches を理由に許されないが、コモン・ロー上の救済手段である damages（損害賠償）の訴はまだ statute of limitations にかかっていないということも、起こりうる。かつてコモン・ローをそのまま適用したのでは不当な結果が生ずる際にそれを避けるために Lord Chancellor（大法官）が介入したという、エクイティの起源は、そういう救済の弾力性に、なおその影を落しているのである。

このlachesは、「懈怠」と訳されることが多かった。しかし、この訳だと、肝心の、請求権が行使できなくなるという意味が全然出て来ないで、なすべきことをしなかったこと一般を指すもののように見える。というわけで、少し長いが、「エクイティ上の消滅時効」としてはどうだろうか、と私は考える。そして、lachesとの対比を重んずべき場合には、statute of limitationsを「コモン・ロー上の消滅時効」と訳すのが適当であろう。

***

長い間ある事実状態が続くことによって権利が発生することは、prescriptionとよばれた。一八世紀後半に公にされた有名な法律書、Blackstone, Commentaries on the Laws of Englandの第三巻（一七六七）には、次のような叙述がある。

「古くから存在する渡し舟のある河に、もう一つ渡し舟が設けられ、それが古くから存在した渡し舟の顧客を奪うほど近いところであるときは、新しい渡し舟は古い渡し舟に対するニューサンス（nuisance――不法妨害）となる。というのは、『prescriptionによる渡し舟』があるときには、その所有者は、それを維持し利用可能にしておく義務を負うものとされており、……従って、新しい渡し舟がこのような義務を負うことなく利益のみにあずかることは、著しく正義に反するからである。」

ブラックストンのこの書物は、同じ所で、ある場所に古くから市場を開いている人がある場合には、そこから一日の行程である二〇マイル〔＝三二キロ〕の三分の一以内のところに他人が別の市場を開くことは、古くから市場を開いている人に対するニューサンスとなると述べている。また、同様に、古くからの採光と窓（ancient light and window）を妨げるほど近くに家屋を建てることも、ニューサンスになると記されている。

このようなことは、ある事実が古くから続いていることをもって権利が生ずるという考え方に由来する。Ancient light and window の保護というと「日照権」的にきこえるかもしれないが、それは、すべての人に健康で快適な生活を保護するという発想に出たものではなく、まさに *ancient* light の保護という既得権保護的発想に出たものであった。

一九世紀に入ると、こういう既得権保護的な prescription の法理に対する修正が試みられる。もし古来の渡し舟の権利を実質的に損ねるような行為が許されないとすると、そこから遠い所でないと鉄道を通せないというようなことになってしまうからである。

このような修正は、アメリカのほうが徹底していた。地役権についてはprescriptionによる取得が可能であるとされてはいるが、イギリスと異なり、所定の期間継続してadverse use（対立的使用）がなされたことが必要であり、adverse useといえるには、当該の使用が①所有者の許諾のもとになされたのではなく、②合法的になしうるもの以外の態容の使用で、かつ③公然となされることが必要であるとされる。Ancient lightの保護は、こういう法理のもとでは成立しえない。隣地に何も建っていない時に日光を受けることは、別に何の権利侵害にもならないから、何十年日光を享受していても、②の要件を欠くことになるからである。

土地自体の時効取得が認められるか。結果的にはイエスである。土地のadverse possession（対立的占有）——自分の土地である旨を主張して公然となされた占有——が継続しているのに権利者が占有回復訴訟を提起しないと、adverse possession開始後一定期間（イギリスでは一二年、アメリカでは通例二〇年）経過すると、statute of limitationsにより、占有回復訴訟を提起できなくなる。その場合には、実体法上も、旧権利者は権利を失い——イギリスのLimitation Act 1939, s. 16——、所定の年数継続してadverse possessionを有した者が権利者となるという扱いがなされるからである。

19 Apparent Authority
——表見的権限；表見的代理権

Apparentという形容詞の訳としては、第一に、「明白な」という言葉が浮ぶであろう。法律的な文書の中でも、apparentという言葉がそういう意味に用いられていることは、しばしばある。しかし、とくに法律用語を読むときに注意すべきことは、もう一つの、通常の英和辞典では「見せかけの」とか「表面上の」とかいう訳が付されているような用法である。こういう用法のときは「表見的な」と訳すと、しっくりすることが多い。

Apparentのこの二つの用法は、いずれもappearという動詞から出ているわけで、前者は、……を見れば……であることが現われているということだし、後者は、……を見れば……であるように見えるが、しかし……ということである。それだけに、例えば the apparent truth of his statement という表現がどちらの意味なのかは、前後の関係を見ないとはっきりしない。法律の文書でも同じようなことが生じることがある。

* * *

Apparent の前者の用法をまず挙げてみよう。

アメリカの Uniform Commercial Code（統一商事法典）二―六〇五条(1)項は、「買主が合理的な検査をすれば確認しえた瑕疵を、拒絶にあたり具体的に示さなかったときは、買主は、次の場合〔―省略〕にはその示さなかった瑕疵を理由として拒絶が正当であることまたは相手方に契約違反があることを主張することができない」（法学協会雑誌八二巻六号七六六頁（一九六六）所収のアメリカ統一商事法典研究会訳による）と定めているが、このような「合理的な検査をすれば確認しえた瑕疵」は、apparent defect とよばれることがある（例えば、Black's Law Dictionary (5th ed. 1979)）。この場合の apparent は、「明白な」という意味である。

Heir apparent ないし apparent heir といえば、第一順位の相続人であることが確定し、被相続人より長生きをすれば絶対に相続できる者をいう。これに対し、現状では第一順位の相続人だが、他に優先順位に立つ者ができれば相続権を失う者を、presumptive heir という。例えば、現在の国王（または女王）の第一皇子（長男）は Crown（王位）の heir apparent であるが、皇子のないときの第一皇女は presumptive heir であるにとどまる。というのは、皇位継承については、同じ親等の者の間では男性が優先するから、第一皇女は、これから皇子が生まれれば王位を相続できなくなるからである。現在のわが国の「推定相続人」は、heir apparent でなく presumptive heir に相当することになる。このように heir apparent ないし apparent heir における"apparent"は、「表見的」よりも「明白な」に近い意味をもっている。

***

表題に掲げた apparent authority とは、代理法の分野で主として用いられる言葉であるが、これは、apparent の後者の用法、すなわち「表見的」という意味の代表的な例の一つである。

通常の代理では、代理人（agent）がその代理権の範囲内で、かつ本人（principal）のためにするものであることが相手方（third person ——第三者）に明らかであるという情況のもとで締結した契約は、本人に効力を生ずる。以下、本人（ないしそれに似た地位にある者）をP、代理人（ないしそれに似た地位にある者）をA、相手をTとよぶことにする。

ところで、Aが本当は代理人でなくても、あるいはその取引をする代理権をもっていなくても、PがTに対して行なった表示の結果、TがAはPを代理する権限を有すると信じ、かつそう信ずるのが相当であるという場合には、AとTとの間の取引の結果がPとTとの間で効力を生ずることになる。別の言い方をすれば、Aは、その行為により、PとTとの間の法律関係に影響を及ぼす権限をもつことになる。このようなAの権限を、apparent authority とよぶ。Ostensible authority という言葉が用いられることもあるが、それは apparent authority と全く同じ意味である。

従って、apparent authority という言葉は、実際上は、表見代理における代理人の権限と同じといってもよいであろう。「実際上は」というような曖昧なことを言ったのは、次のような見方があるからである。すなわち、PがAに代理権を与え、Aがその代理権の範囲内で行為した結果、その効果がPに及ぶときのAの権限をauthorityとよび、PのTに対する表示の結果Aがもつにいたる権限をapparent authorityとよぶものと定義すれば、apparent authorityは、表見代理のときだけに成立するものではなく、例えば、①Pが甲地を売却する権限を書面でAに与え、かつ②Pがこの書面のコピーをTに送ったときには、Aは、①の点でauthorityを、②の点でapparent authorityをもつとみることができると説く見解が存在する――Restatement (Second) of Agency §§ 7, 8など――からである。なるほど理屈はそうかもしれないが、Aが与えられたauthorityの範囲内で行為した場合には、何もわざわざapparent authorityなどということを持ち出さなくてもよいのではないかという気がしないでもない。

表見代理に相当する言葉は、apparent agencyということになる。しかし、どういうわけか、この言葉は、それほど頻繁には用いられていないようである。

⁂

英米の代理法では、Aが、実際にはPの代理人として行動しているのに、Tに対してそのことを示さず、Tの側でもその事実を知らずまた知るべきであったとされるような事情もないという場合にも、Aを相手として契約をしたTは、後にPの存在を知ったときには、Pに対して請求することもでき、また、Pの側からもTに対して請求できる。この点、わが商法五〇四条が、「商行為ノ代理人カ本人ノ為メニスルコトヲ示ササルトキト雖モ其行為ハ本人ニ対シテ其効力ヲ生ス」としているのと同じようにみえるかもしれないが、英米では、PもAもともに契約の当事者であり、どちらもTに対して請求できるし、Tの側でもPにもAにも請求できる——ただし、いずれの場合にも二重取りはできない——のに対し、商法五〇四条は、その但書で、「相手方カ本人ノ為メニスルコトヲ知ラサリシトキハ代理人ニ対シテ履行ノ請求ヲ為スコトヲ妨ケス」として、Tからの請求についてのみ同様のことを認め、AからTへの請求は認めない点が、異なる。

このように、代理人が本人のためにすることを明らかにしないで行為したときの本人を

undisclosed principal（隠れた本人）とよび、このような代理関係をundisclosed agency（本人を隠した代理）とよぶ。これに対して、Aが代理人として行動していることは明らかになっていたが、誰が本人であるかが明示されないまま行為がなされた場合は、partially disclosed principal（半分隠れた本人、同一性の隠された本人）、unidentified principal または unnamed principal とよばれる。そしてこれらとの関係で、通常の代理の場合の本人であることを明示する必要があるときには、disclosed principal という言葉が用いられる。

Partially disclosed agency についてはundisclosed agency と同様の法理が適用されることが多いが、例えば、Aが与えられた代理権の範囲外で行なった行為をPが追認できるかという点について、partially disclosed agency の場合は追認できるとされているが、undisclosed agency の場合には多くの法域で追認できないとされている、といったように、いくつかの点では異なる扱いがなされている。

商法五〇四条について、わが国では、代理関係の存在を認めるべき外観のないときに、AのほかPに対しても請求できるのは不合理だという説が多いようである。英米の学者の中にも、undisclosed agency に関する法理は契約法の基本原理からいえば一つの変則であると見ざるをえないという見解をとる人がある。しかし、これに対しては、以下のような反論がなされている。すなわち、Tと（Tが本人であると信じていた）Aとの間に契約関係が成立するのは、契約法上当然のことである。そして、TとPとの間に契約の効果が及ぶのは、実際上、Aがあたかも自らの計算において仕事をしているような外観を呈し、それだけAの信用状態が実力以上のものに見えることがありうるというところから、PをA－T間の契約に引き込むのが妥当であるとする、代理法に固有の立場からのことである、と説明するのである。

ところで、undisclosed agency の場合のAの権限は、apparent authority ではない。Pは隠れていたのであり、Tに対してなんらの表示行為をもしていないからである。リステイトメント――その主任起草者のシーヴィ（Warren A. Seavey）教授――は、undisclosed agency の法理は代理法固有の考慮から出たものであるとし、undisclosed agency の場合にAがその行為の結果をPに及ぼしうる権限は inherent agency power（代理固有権限）とよぶべきだと説いている。

20 Remainder
——残余権

大陸法系に属するわが国では、所有権は、全面性、包括性、恒久性、弾力性をもつ権利であり、制限物権とは画然と区別される。ところが、英米法では、real property については、このような所有権の観念と異なる体制がとられて来た。イギリスは、一九二五年の Law of Property Act によって、ある程度大陸法に近づいたが、アメリカでは今日でもそれが維持されている。

⁂

まず、real property とは何か。この言葉に対応するのは personal property だが、両者の区別は、厳密に言えば、物に対する権利で中世において物自体を取り戻しうる real action（物的訴訟）で保護されたものが real property であり、金銭賠償を目的とする personal action（人的訴訟）でしか保護されなかったのが personal property であるというほかはない。実質を見ると、不動産に対する権利のうち封建制度の基盤をなす freehold estate（自由保有権）が real property に属し、personal property は、動産のみならず、不動産に対する権利でも leasehold など freehold estate でないものが含まれた。後に不動産の leasehold など元来 personal property とされていた権利に物的な保護が与えられるようになると、それらを chattel real とよぶようになったが、この二分法との関係では依然として personal property とされていた。

Real property, personal property の訳語として、「物的財産」「人的財産」という、日本法にはない言葉が選ばれるのは、このような見地からである。英米法でも、conflict of laws

（国際私法・州際私法）の分野では大陸法的な不動産・動産の区別によっているが、その場合には、immovable, movableという言葉が用いられている。ただし、日常語としては、real propertyという言葉が「不動産」を指す意味に用いられているので、法律用語として厳密に用いるのでない場合には、real propertyを「不動産」、personal propertyを「動産」としても、差支えない。

＊＊＊

伝統的な形での英米法のもとでは、土地に対する権利に、条件または期限を付けることができる。条件付の例は、その土地が住居の目的のために用いられる限り（so long as the premises shall be used for residential purposes）Aに与えるという形の譲渡がなされたときのAの権利である。期限付の例は、土地をAが生きている間はAに与えるという譲渡がなされたときのAの権利である。

この場合、Aの権利が消滅したら土地を現実に使用収益する権利が元来の権利者（X）に常に当然に戻るのであれば、Aの権利を地上権ないし永小作権の延長線上において考えてみるという試みをする余地があるかもしれない。しかしながら、英米法では、Xが別段の意思表示をしていなければAの権利が消滅すれば土地を現実に使用収益する権利はXに戻るが、Xは、Aへの条件付または期限付譲渡に際して、Aの権利が消滅した後にはBに権利が帰属する旨の定めをしておくこともできる。"A for life, then to B and his heirs"というように。このBの権利は、remainderとよばれる。

Remainderは、「残余権」と訳されている。ほかに適訳もなさそうだが、やや堅い感じのする言葉である。Remainderには、「残留者」「残り」「遺跡」「売れ残りの本」などという意味のほか、引き算の「剰余」、割り算の「余り」という意味もある。まさに、「余りはBに」という感じだが、そう表現すると、法律の文献の中では浮き上がった感じになってしまうだろう。

なお、「余り」についての定めがなされないと、Aの権利が消滅したときに土地を現実に使用収益する権利がXに復帰することになるが、このXの——いわば潜在的な——権利は、場合ごとに三つのタイプに分けられる。①"To A Church, its successors and assigns, so long as the premises shall be used for church purposes"というように、ある事実が発生したら、なんらの意思表示なしに、Aの権利が直ちに消滅する場合には、Aの権利は determinable fee（解除条件付不動産権）＊とよばれるが、この場合のXの権利は possibility of reverter（起こりうる復帰に関する不動産権）とよばれる。②"To A and his heirs, but if the premises shall be used for the sale of intoxicating liquors, then X and his heirs may re-enter and repossess the premises as of their former estate"というように、ある事実（＝この場合にはその土地での酒の販売）が発生しても、当然にはAの権利が消滅せず、Xが意思表示をして初めて消滅する場合には、Aの権利は fee subject to a condition subsequent（解除権の定めのある不動産権）とよばれるが、この場合のXの権利は right of entry for condition broken（解除権を行使して復帰せしめる不動産権）とよばれる。③Aの権利がAの直系卑属によってのみ承継されうるとき――fee tail（限嗣不動産権）――Aの生涯限りとされているとき――life estate（生涯不動産権）――または一定期間限り続くものとされているとき――term of years（期間不動産権）ないし leasehold（賃借権）――には、Xの権利は reversion（復帰権）とよばれる。そして①②③のXの権利を総称する言葉は、reversionary interest（復帰的権利）である。念のために付言すると、①②③の場合、Xは、自らに reversionary interest を留保することなく、B

さらにC……にremainderを与えることもできるし、B……のremainderに条件または期限を付け、その消滅後のreversionary interestをXがもつような定めをすることもできる。

さらに注釈をつけると、②に出て来るcondition subsequentは、通常は解除条件の意味——停止条件はcondition precedent——であるが、そこでの説明にあるように②の場合はわが民法一二七条二項とは効果が異なるので、内容に即して上記のように訳した。

また、"entry"という言葉が、②にあるように、単なる「立入り」ではなく、不動産に対する権利主張の意味に用いられることにも、注意を喚起しておきたい。

＊法律用語ではdetermineという言葉が「決定する」ではなく「終了させる」という意味で用いられる例が少なくないことに注意。

＊＊＊

条件も期限も付されていない不動産権は、fee simple absolute（無条件の単純不動産権）とよばれ、（そもそもは国王から封を受けたものであるというたてまえは別にして実際上は）わが国の所有権とほぼ同じ内容をもつ。しかし、この fee simple absolute の権利者が、これまで述べて来たようなタイプのどれかの形で譲渡をすれば、その土地については、fee simple absolute は存在しなくなるのである。

⁂

伝統的な英米法のもとでは、前述の例でいえば、Aの権利のみならず、B……のもつ remainder, Xのもつ reversionary interest も、物権的に保護される。"To A for life, then to B and his heirs" という譲渡なら、Aが生前に処分できるのはその生きている間その土地を使用・収益する権利であって、Aが死ねばその土地はBのものになる。このように物権として成立してはいるが現実に使用収益しうる権利となるのは将来のことだという不動産権を future interest（将来物権）とよぶ。

このように、同じ土地についていくつもの物権が重畳的に存在しうるということは、土地の取引に対する阻害的作用をもちうる。そこから、いくつかの修正がなされた。さらにイギリスでは、一九二二年と一九二五年の Law of Property Acts（財産権に関する法律）とそれに伴う一連の立法によって、大改革がなされた。例えば、土地について成立しうる権利のうち、コモン・ロー上の権利は、fee simple absolute in possession と term of years absolute のみとされ、それ以外は、すべてエクイティ上の権利としてのみ成立しうることとなった。エクイティ上の権利は善意有償の第三者には対抗できないから、これによって取引の安全を図ることができるというわけである。

この時の大改正によって、イギリスの不動産法の内容は大きく変わった。その結果、中世以来の不動産法が現行法に影響を残している度合は、アメリカのほうがイギリスよりも大きいということになった。

⁂

ところで、remainder が保護されるためには、それが先順位の権利の消滅までに確定的権利となる―― vest される――ことが必要だというのが、中世のルールであった。一五三五年の Statute of Uses（ユース法）はこのルールを回避する道を開くことになるが、ここではその点には触れない。

Remainder は、こういう角度から、vested remainder（確定残余権）と contingent remainder（未確定残余権）に分けられることになる（"contingent"という言葉の用法については、*14* 参照）。そして、さまざまのテクニカルなルールが成立する。例えば、"To A for life, remainder to the heirs of B"というのは、Bが死ぬまでは contingent remainder である。というのは、"*Nemo est haeres viventis.*"（「何人も生存中の人間の相続人たるをえず」）——ある人がBの相続人だということは、その人がBより長生きすることが停止条件になっている——からであるとされる。

複雑な法律学の技術をマスターしたと天狗になりかけている人には、中世の法律家も法技術という点ではこの程度のことはやってのけたということを知るのも、少しは頭を冷やすのに役立つかもしれない。

21 Lien

——リーエン：留置権または先取特権

表題の中で日本語で出て来るのは訳語のはずなのに、「リーエン」とは何ごとかと思う人があるかもしれない。しかし、こうしたのにはわけがある。Lien という英米の法律用語にぴったり対応する言葉が、日本法には存在しないのである。

Lien は、物的担保であるが、わが国の留置権のように弁済があるまで lien の目的物を占有しておくことができる場合と、先取特権のように目的物を占有しておくことはできない場合との双方を含んでいる。イギリスでは、前者を retaining lien あるいは possessory lien とよび、後者を charging lien とよんでいる（Jowitt's Dictionary of English Law 1098（2d ed. 1977））。アメリカでは、Restatement は、前者を possessory lien 後者を equitable lien とよんでいる。また、前者を common-law lien または legal lien とよんで equitable lien と区別する用法も存在する＊。この場合の "legal" という形容詞が「適法な」あるいは「法律上の」という意味ではなく、エクイティと対比された「コモン・ロー上の」という意味であることは、*16* で説明した通りである。

＊　イギリスでは、equitable lien という言葉は、charging lien のうち制定法によるもの —— statutory lien —— 以外のものを指す意味で用いられる。

⁂

Restatement of Security § 61 によれば、possessory lien は、(a)ある物を預かり、預けた人との約束に従いこの物を修理・加工した者、(b)契約通り物を目的地まで運んだ運送業者、(c)ホテル業者（宿泊客が持ちこんだ物のうち実際に必要な衣服以外のものについて）、(d)貨物を預かった倉庫業者、(e)発見者に報償を払う旨の広告がなされている物の発見者、(f)売買された物が代金未払で目的物を占有している売主、(g)本人に対して求償権をもつ代理人（その代理権行使に関連して占有を取得した物について）、(h)不動産の賃料不払いの際には貸主は distress for rent（不動産賃料のための自救的動産差押え）とよばれる自力救済を行使できるが、それによって賃借人の物の占有を取得した不動産の賃貸人、(i)土地に入って来て損害を与える（動物などの）物を差し押えた者については、当該関係から発生した債務の弁済があるまでその物を留置する権限が認められる。これらは、当該の関係において取得した物についてのみ認められるリーエンであるので specific possessory lien とよばれる。これに対し、一連の取引関係の中で占有を取得した物すべてについて留置を認める general possessory lien とよばれるものがある。Restatement of Security § 62 は、(a)問屋（といや—factor）が通常の取引過程で販売を委託された物すべてにつき、(b)弁護士が特定の依頼人から預かったすべての書類その他の物につき、(c)銀行が特定の預金者との関係で占有を取得した手形・小切手その他すべての商業証券または文書について、その物の占有が当該債務との関連で取得されたものか否かを問わず、リーエンをもつとしている。

コモン・ロー上は、possessory lien のみが認められていた。そして、元来は、リーエンをもつ者は、債務の弁済があるまでリーエンの目的物を留置しておくことはできるが、目的物を売却することはできなかった。リーエンの権利をもつ者が目的物の占有を非合法な手段によってでなく失えば、リーエンは消滅した。ただし、問屋および売買された物の代金未払のときの売主については、かなり前から（いわば売買法の準則の結果として）例外が認められていた。また、宿屋・ホテルや鉄道会社にも、同様の例外が認められた。さらに、コモン・ローとは別の流れである海法が認めた maritime lien では、競売する権利および優先弁済権が認められていた。Maritime lien のもう一つの特徴は、船舶を占有していなくてもリーエンが認められることである。

Pledge（質）＊の場合には認められている競売する権利および優先的に弁済を受ける権利が possessory lien の場合に認められていないのは不都合だということは、しばしば指摘されて来た。そして、大部分の法域——国または州——で、制定法によってコモン・ローの原則が修正されている。そのような法律の内容は、広く possessory lien 一般について規定するものもあり、個々の possessory lien についての特則を設けるものもあり、内容もさまざまである。

＊ 質にあたるものとして pledge のほか pawn がある。Pledge は債務の担保として動産を担保に提供するときであり、pawn は相手に債務を負っていないのに金銭を調達するために動産を質に置く場合である。

＊＊＊

Equitable lien は、一般の債権者よりも優先的に保護されるべき状況にある者のために、エクイティの裁判所が発達させた救済手段である。それは、コモン・ロー上の lien を出発点としつつ、救済手段としての実効をあげうるよう模様替えをする。Lien の権利者が目的物を占有していなければならないという要件は、最初から問題とされない。相手方が債務を履行しないときには、競売をする権利が認められる。優先的に弁済を受ける権利が認められ、相手方が債務超過に陥ったときの保護が図られる。

Equitable lien の古典的な例は、代金未払なのに売買の目的物を引き渡してしまった売主、売買代金の一部を前払いした（が目的物の引渡しは受けていない）買主に認められた equitable lien である。

ところで、アメリカ法は、equitable lien の法理をさらに拡張して、AがBをだまして、あるいは脅して、金銭を出させたときに、Bは、その金銭またはAがその金銭を用いて取得した物――取得した物を処分してその代りに取得した物を含む――に対して、その金銭の返還請求権に関し equitable lien をもつとされることである。そのことは、Aが破産したときに、Bは他の一般債権者に優先して弁済を受けうることを意味する。なお、もしAがだました金を用いて儲けた場合には、Bは、equitable lien をもつことには変りがないが、だまされた金額プラス法定利息を請求するよりも、*17* で説明した constructive trust（擬制信託）の法理により、AがBをだました金銭を使って取得した物はBを受益者としAを受託者とする信託の信託財産のようなものだと主張し、その物を自分によこせといったほうが得である。

念のために付け加えると、equitable lien が成立するときには常に constructive trust も成立するというわけではない。例えば、Aの土地にBが改良を加え、その結果価値が増加したが、AとBとの関係からいってBがAに対してその分の請求権をもつとするのが妥当だと判断されるときには、Bは、その請求権に関して equitable lien をもつが、constructive trust は成立しない。

＊＊＊

冒頭で述べたところに戻ろう。Charging lien ないし equitable lien に対しては「先取特権」という訳をつけることができる。Possessory lien ないし common-law lien を「留置権」と訳すこともよい。たとえ、競売権が認められていても、それは「留置権」の内容が日本と異なるという説明で差支えない。

問題なのは、lien という言葉自体に対応する概念が日本法にないことである。「留置権または先取特権」と訳すのも一案だが、具体的な場合に先取特権しか生じないのに「留置権または先取特権」が生ずると記すのは、法律文書の翻訳としては曖昧すぎるように思われる。とすれば、lien は「リーエン」と表現するほかはない。英米の法律用語と日本の法律用語の内包に差があっても、あるところまでは、日本法のもとでも時代によって法の中身が変わっても同じ術語が用いられるのと同様だといってよかろう。しかし、それ以上になれば、あるいは対応する概念が全くなければ、日本法にはない言葉を案出するか、原語を仮名書きにするほうが、概念の無用の混乱を生じなくてよいように思われるのである。

〔付記〕　アメリカでは、lien を「リーエン」とのばして発音するのが通例のようである。イギリスでは、のばす人とそうでない人と双方ある。しかし、「リエン」というのは、「離縁」と音が同じになるので、「リーエン」という表記をとった。やかましく言えば、日本語の長音――二音節――と同じようにのばすと、少し長すぎるのだが。

22 Libel
——文書による名誉毀損：（教会裁判所・海事裁判所での）訴状

"Libel" という言葉には、二つの、全く異なる用法がある。

一つは、defamation（名誉毀損）の一つのタイプを指す。

英米法は、文書——絵画、人形など形として残るものを含む——による名誉毀損であるlibelと口頭による名誉毀損であるslander とを区別する。そして、前者は、名誉を傷つけられた者に金銭的損害または金銭に換算しうるような損害——special damage あるいは special harm（以下「実損害」とよぶ）——が生じなくても成立するが、後者は原則として実損害がないと成立しないとされる。「原則として」と言ったのは、口頭による名誉毀損でも、①ある犯罪を犯したという非難で、その犯罪が懲役を科しうるものであるとき、②ある人が病気にかかっているとの言辞で、その病気が一般人が嫌悪するような性質のものであるとき、③職業上の能力の欠如の指摘、④婦人の身持ちに対する非難などの場合には、実損害がなくても、名誉毀損が成立するとされるからである。このように slander でも実損害の発生を要件としない場合を、slander *per se* あるいは slander actionable *per se* とよぶ。

損害がないのに損害賠償とは、と思う人があるかもしれない。しかし、実損害の有無が問題となるのは、slander という不法行為の成立についてであり、不法行為の成立が認められた上は、それに対する賠償額の算定にあたっては、「精神的損害の賠償」という要素が入って来る。その額は、かなり大きい。さらに、加害者の悪性が著しく高い場合には、加害者に制裁を加えるという目的を正面に打ち出した「懲罰的損害賠償」―― punitive damages, exemplary damages あるいは vindictive damages とよばれる――が加えられることになる。その結果、名誉毀損に対する損害賠償額は、わが国の場合よりも著しく大きい。アメリカでは、ごく大まかにいえば平均約一〇〇倍に達する。イギリス憲法、アメリカ憲法において、名誉毀損を理由とする民事訴訟と言論の自由との関係がとりあげられるのも、損害賠償の額が他人の名誉を傷つけた者に対するお灸として十分に効果があるものになっているために、効き過ぎを防止する必要があるという事情を背景としたものである。

Slander について実損害の発生を成立要件とすることは、精神的損害を軽視する趣旨ではない。精神的損害を根拠とする賠償額が大きなものとなることが多いだけに、根拠薄弱な請求が持ち込まれることを排除するという発想に出たものである。文書による名誉毀損ならば、問題となるようなことが述べられたかどうかは、証拠がはっきりしているが、口頭のときは必ずしもそうではない。また、文書による名誉毀損は通例結果が軽微とはいえないが、口頭による名誉毀損は普通はそれほど重要ではない。というわけで、前記①ないし④の場合には、通例結果が重大なので実損害がなくても本当にそういうことが言われたかどうかを裁判で争わせてもよいが、それ以外のものについては金銭的損害または金銭に換算できるような損害がない限り、とりあげないということなのである。

文書なら libel 口頭なら slander という区別は、かつてはまことに合理的なものであった。しかし、ラジオの発明、ついでテレビの出現が、新たな問題を産む。これらのメディアは（テープあるいはビデオが出来るまでは）証拠として後に残ることはない。しかしその影響範囲の広さは、大部分の文書の遠く及ぶところではない。

イギリスは、立法――Defamation Act 1952, s. 1――で放送による名誉毀損はlibelであるとした。アメリカは州によって判例が分かれ、libelとする州、slanderとする州、台本に基づいてなされた場合に限りlibelであるとする州など、さまざまである。Restatement (Second) of Torts §568 Aは、libelであるとする立場をとっている。結果の重大性からみて、libelとするのが妥当なように、私には思える。そして、テープとビデオの発明によって、明白な証拠がえ易いという点でも、libelと共通点があるといえるようになったと考えられる。

最後に、刑事の面について触れておくと、英米法の伝統的な立場では、犯罪になるのはlibelのみで、口頭による名誉毀損は、sedition（扇動）、blasphemy（瀆神）、obscenity（わいせつ）など他の犯罪に該ることはあっても、名誉毀損自体としては犯罪にならないとされている。アメリカの州の中には制定法でslanderを犯罪としたところもあるが、イギリスおよび多くのアメリカの州は、伝統的な立場を維持している。

***

Libelのもう一つの意味は、教会裁判所・海事裁判所に訴えを提起する場合の「訴状」ということである。訴状は、コモン・ロー上の訴訟ではdeclaration、エクイティ上の訴訟ではbillとよばれていた。また、complaintという言葉もあり、イギリスではjustice of the peace（治安判事）に民事訴訟を提起する場合に、アメリカの連邦および多くの州では、Federal Rules of Civil Procedure R. 3（連邦民事訴訟規則三条）やCalifornia Code of Civil Procedure § 425にみられるように（コモン・ローとエクイティが融合した後の）民事訴訟一般において、訴状という意味に用いられている。Libelは、ローマ法の影響を強く受けていた教会裁判所と海事裁判所で用いられた言葉であり、イギリスでは今日でも教会裁判所での手続において使用されている。アメリカでは、逆に、海事事件について長く用いられていたが、一九六六年以来、海事事件についてもcomplaintという言葉が用いられることになった。

ちなみに、教会裁判所・海事裁判所での原告はlibelantまたはlibellantとよばれ、被告はlibeleeまたはlibelleeとよばれる。

⁂

同じ民事の分野で一つの言葉に全く異なる二つの意味が与えられているということは、好ましいことではない。しかし、見方を変えれば、そのことは、16で述べたように、イギリス法がコモン・ロー、エクイティ、教会法、商慣習法（law merchant）という複数の流れで発展して来たという事情を反映したものといえよう。それぞれが、裁判所を異にし、手続を異にし、法曹を異にしていたからこそ、同じ言葉が、一つの流れでは文書による名誉毀損を指すものとして用いられ、他の流れでは訴状を意味するものとして用いられても、混乱のおそれは全くなかったということなのであろう。

「法曹を異にし」と言った点について付言すれば、今日のイギリスのソリシタ（12参照）の前身は、コモン・ローではattorneyエクイティではsolicitorだが、教会裁判所と海事裁判所ではproctorであった。バリスタの場合は、コモン・ローとエクイティ共にバリスタだが、バリスタの団体としての四つのInns of Courtは、それぞれ、コモン・ローを専門とするバリスタが多く所属するもの、エクイティを専門とするバリスタが多く所属するものという違いがあった。そして、教会裁判所と海事裁判所においてバリスタに相当する地位として advocate があり、その団体として Doctors' Commons があった。Doctors' Commons は一八五七年の Court of Probate Act で廃止されるまで存在する。また、この法律で、バリスタが海事裁判所並びに（教会裁判所の流れを承けた）検認裁判所および離婚裁判所で弁論することが認められるとともに、advocate がコモン・ローの裁判所およびエクイティの裁判所で弁論することが認められた。これを機に、advocate は次第に姿を消して行くことになるのである。

23 Summary Judgment
──正式事実審理を経ないでなされる判決

“Summary judgment” という言葉は、「略式判決」とか「即決裁判」とかいうように訳されていることが多い。しかし、私はこの訳には何となく落ち着きの悪い気持を抱かされる。というのは、これらの訳語を通常の日本語として理解したときの語義ないしニュアンスが、アメリカの “Summary judgment” とは著しく異なるからである。

「即決裁判」というと、日本の法律家は、交通事件即決裁判手続法が道路交通法第八章の罪の処理について定めている迅速簡易な刑事手続を思い浮べるであろう。そしてさらに、刑事訴訟法二九一条の二が「被告人が……起訴状に記載された訴因について有罪である旨を陳述したとき」に「死刑又は無期若しくは短期一年以上の懲役若しくは禁錮にあたる事件」以外の事件について認めている「簡易公判手続」を連想するかもしれない。「略式判決」という訳をみれば、刑事訴訟法四六一条以下の「略式手続」のもとでの「略式命令」と似たものであろうかと考えるのが自然であり、さらに戦前の法制を知っている人は、違警罪即決例により科料または拘留に該る罪について警察署長が即決して科料または拘留を言い渡すことができた「即決処分」を想い起すかもしれない。

"Summary judgment" における "summary" という言葉は、このような意味での「簡易」あるいは「即決」ということとは全く異なる。アメリカの summary judgment とは、（陪審を付して審理する場合なら陪審の面前で行なわれるような）正式事実審理―― trial ――をへないでなされる判決のことなのである。この summary judgment は、民事事件においてのみ認められる。

Summary judgment は、事件の「どの重要な事実（material fact）についても真正の争点（genuine issue）がない」（連邦民事訴訟規則五六条c項）ことが trial 前に明らかになり、従って裁判所が法律問題について判断をすれば trial を開かなくても判決できるときになされる。手続的には、当事者が summary judgment を求める申立てをし、裁判所がこの申立て（およびそれに対する相手方の反論）について判断するということになる。連邦裁判所では、この申立ては、請求をする側――通常は原告だが反訴など被告のこともある――は訴え提起後二〇日経過した後または相手方が summary judgment の申立てをした後何時でもなしえ、請求に対して防禦する側は訴え提起後何時でもなしうる（連邦民事訴訟規則五六条a項b項）。なお summary judgment は、中間判決的な形でもなされうる。例えば、summary judgment で被告に損害賠償責任が存在する旨を判決し、その上で損害賠償額に関して trial を行ない、陪審の verdict（評決）をえて判決をするように。

Summary judgment は、かつての demurrer（妨訴抗弁）の後身であるが、それはどのような発想に由来するものであろうか。

英米法は、（エクイティと区別された意味での）コモン・ロー（*16* 参照）上の事件については、陪審審理を認めて来た。当事者の一方が請求すれば陪審を召集して審理をしなければならなかったのである。陪審審理は、イギリスでは一九三三年の Administration of Justice (Miscellaneous Provisions) Act によって民事事件については大幅に制限されたが、アメリカでは今日でもコモン・ロー上の事件については陪審審理が保障されている。そして、英米法がその中核的な部分について陪審審理とともに発展して来たことの影響は、その実体法手続法の両面について色濃く残っている。とくに手続については、英米の訴訟手続の基本構造を理解するためには常に陪審審理との関係を念頭に置かなければならないと言っても過言ではない。

陪審審理による手続での基本問題は、裁判官の職分と陪審の職分とをどのように分けるかということである。この点について標語的には、「事実問題は陪審に法律問題は裁判官に」という原則がとられる。従って、原告の主張がそもそも法律上成り立たないというときには、事件は陪審審理に付する必要がないということになる。しかしそこからさらに進んで、仮に法律上は成立しうる請求または主張であっても、それを基礎づけるべき証拠が全くないというときには、陪審を召集してその面前で審理をした上で陪審に事実問題を判断させるという過程を経るに値するだけの「真正の事実問題」が存在しないから、陪審審理によることなく裁判官だけで判決——原告敗訴の summary judgment ——をしても差支えないとされる。また、原告が法律上成立しうる請求をし、かつその請求を根拠づけるのに必要な諸事実について証明力があると思われる証拠を提出しようとしていることが、pleading（訴答）や discovery（開示）あるいは summary judgment の申立に付される affidavit（宣誓口供書）などによって明らかであるのに、被告のほうが有効な抗弁あるいは反対証拠を全く提示しえないというときにも、同様に、原告に有利な summary judgment がなされることになる。

アメリカの summary judgment とは、このように、陪審の面前で行なわれる trial を経ずに裁判官だけの判断で言い渡される判決のことなのである。それは時に重要な法律問題についての裁判所の熟慮を要求するものであって、必ずしも簡易に略式に即決的になされる判決ではないのである。

なお、刑事裁判では、陪審審理にかける必要のない事件を裁判官だけで処理するには、連邦裁判所では motion to dismiss（棄却・却下申立て）（連邦刑事訴訟規則一二条）とそれに対する裁判所の裁判という方法が用いられる。これが demurrer の後身でもあることは、同条a項の中に「demurrer は廃止される」との明文があることからも、知りうるところである。

〔付記〕　イギリスの summary judgment の制度は、Rules of the Supreme Court, O. 14 に規定されている。イギリスでは、請求する側からの申立による場合のみが認められ、全体として、被告に争う余地のない場合には、なるべく早く原告の請求を認めてやるということに力点が置かれているという印象を受ける。

＊＊＊

「重要な事実についての真正の争点」がないということは、trial の結果明らかになることが少なくない。その場合、裁判所は、directed verdict（指示評決）という方法をとる。陪審に対し……との評決をせよと命ずるのであって、陪審は形の上では評決をするが実際にはなんら判断をしないことになる。場合によっては裁判所は、いったん評決をさせた上で、やはりこの事件は陪審にかける必要はなかったとして、judgment *non obstante veredicto*（評決と異なる判決）をすることもできる。

＊＊＊

“Summary”という言葉が、このように陪審審理との関係で理解されるべき場合があることは、イギリスの summary offence という言葉にもあてはまる。これを「略式犯罪」と訳すと、略式に犯される犯罪とはどういうことかということになりかねないし、とりわけ、ある種の犯罪はこれを indictable offence とすることもできれば summary offence とすることもできるというような叙述に出会った際に、当惑することにもなろう。

Indictable offence とは、indictment（正式起訴状）によって起訴された刑事事件ということであり、陪審審理によらなければならない。Summary offence はそれ以外のものであり、従って「正式起訴状によらない刑事事件」とでも訳すべきものである。Indictable offence として起訴されるか summary offence として起訴されるかによって、一審の裁判所も異なれば、上訴裁判所も異なる。一九三三年にイギリスで grand jury（大陪審・起訴陪審）が廃止されるまでは、indictment は grand jury の審査をへた上で出された。今日では、それに代って、magistrates' court（治安判事裁判所）の preliminary examination（予備審問）で公訴の提起を裏付けるだけの証拠が訴追者側にあるかが審査された上、それだけの根拠ありとされて初めて提起される。なお殺人については場合により coroner's court（検死官裁判所）の判断によって、magistrates' court の判断に代えられる。

ここでもまた、通常の英和辞典の訳で法律用語を理解してはならないのである。もし

"summary judgment"を表題にあるように訳すのが長すぎるとすれば、原語ないしはその片仮名書きで記し、最初のところで（予想される読者の予備知識を考えた上で）必要かつ適切な説明ないし訳註を付するという配慮をすべきであろう。

24 Rule of Law
——法の支配

Rule of law は、「法治主義」とは異なる。法治主義という言葉も人によって若干用法が違うが、基本的には、統治が法律によって行なわれなければならないとする原理であると言ってよいであろう。具体的には、法治主義は、国民に義務を課す法の定立は（細部はともかくとして少なくともその大綱は）議会による法律の制定という形でなされるべきこと、司法は独立の裁判所により法律に準拠して行なわれるべきこと、行政もまた予め定められた法規に基づいて行なわれるべきことを、要求するものであるとされる。このように、法治主義は、英語では

rule *by* law と表現するのが適切な性質のものなのである。

これに対して、rule *of* law は、統治される者だけでなく統治する者も、（「法律」ではなく）「法」に従うべきであるということを意味する。そこでの「法」という言葉には、自然法的な響きが籠められることになる。そのような「法」が統治の各面を支配すべきだというのが、rule of law の真髄なのである。

***

法の支配の原理がこういう性格のものであるだけに、これを実定法学的に説明しようとすると、なかなかうまく行かない。実定法のルールとして表現すると、どうしても、特定の国の特定の時代に即しすぎたものになり、法の支配の精神からいうとスケールの小さなものにしてしまうのである。

法の支配を実定法的観点から定義したものとしては、A. Dicey, Introduction to the Study of the Law of the Constitution（1885, 8th ed.1914, 10th ed. by E. C. S. Wade 1959）——邦訳、A・V・ダイシー、伊藤正己＝田島裕（訳）『憲法序説』（一九八三）——が最も有名である。彼

は、次のように法の支配を定義する。①法の支配は、「まず第一に、国の通常の裁判所の前での通常の合法的なやり方で確証された明瞭な法の違反の場合を除いて、何人も処罰をうけず、また身体や財物に適法に不利益を加えられえないということを意味する。この意味で、法の支配は、権力をもつ者が、広汎な、恣意的な、あるいは裁量的な強制権を行使することを基礎とするあらゆる政治体制と対照をなすものである。」②「第二に、われわれにあっては、何人も法の上にないということのみでなく、……すべての人が、その階層や身分にかかわりなく、国の通常の法に服従し、通常裁判所の裁判権に服するということを意味している。」③「われわれは、憲法の一般原則（たとえば、人身の自由の権利や公けの集会の権利のような）が、われわれにあっては、裁判所の前に提起された特定の事件で私人の権利を決定した司法的判決の結果であるという理由によって、憲法には法の支配がしみこんでいるということができる。他方で、多くの外国の憲法のもとでは、個人の権利に与えられる保障（保障といえるものとして）は、憲法の一般原則に由来する、あるいは由来するように見える」（前掲訳書一七九、一八三―一八四、一八五頁の訳を使わせていただいた）。

このダイシの説に対しては、イギリスの学者の間でも批判がある。その最も激しいものは、

W. Jennings, The Law and the Constitution (1933, 5th ed. 1959) である。ジェニングズは、ダイシが①で述べる「正規の法の優位」に関して、ダイシは権力の濫用を行なうのは行政権のみであるという、一九世紀ホイッグ党的な偏見に基づくものである。裁判所も、裁判所侮辱 (contempt of court) をはじめ広汎な裁量権をもっている。また国会は、いかなる立法でも制定しうるのであり、立法権の行使について完全な裁量権をもっているのである。②の「法的平等」についてのダイシの所説は、実定法的には、イギリスは（フランスにあるような）行政裁判所をもたないということに帰する。しかし、それ故にフランスのほうが行政庁または公務員の違法行為に対する救済が不十分だということにはならない。イギリスでは〔当時〕"The King can do no wrong." という法原則があり、国家賠償責任が認められていないので、この点についての救済は、むしろ不備であるというべきである。③の「憲法は通常法の結果である」という点について、ジェニングズは、それはイギリスが成文憲法をもたないこと、国会がこれまで〔実質的意味における〕憲法の分野で法律を作って来なかったことの結果にすぎないとするのである（高柳賢三『英国公法の理論』一八五頁以下（一九四八）、伊藤正己＝田島裕『前掲訳書』四七三頁以下参照）。

ダイシの前提としていたところのうちいくつかは、イギリスでも崩れている。二〇世紀に入って政府の活動範囲が拡がり、さまざまの経済立法・社会立法が制定されると、その運用をめぐって生ずる紛争の処理のために数多くの行政的裁判所（administrative tribunals）が設けられ、ダイシ自身が一九一五年の論文 *The Development of Administrative Law in England*, 31 L. Q. Rev. 148 (1915) で、イギリスにもフランスの行政法にかなり似た法分野が成立しつつあることを率直に認めるにいたった。また、一九四七年の Crown Proceedings Act によって、国家賠償責任が認められ、"The King can do no wrong." の法理が改められたのである。

だからといって、法の支配の原理がイギリスで消滅したわけではない。その精神は、立法・司法・行政の指導原理として活きている。例えば、イギリスがなぜ分野ごとに別々の行政的裁判所を設け、ヨーロッパ大陸諸国に広くみられるような通常裁判所と併立する単一の行政裁判所制度を設けなかったのか、なぜ少なくとも法律問題については行政的裁判所の判断を最終的なものとせず、通常裁判所に最終的判断権を与えるという原則をできる限り維持しようとしたのかといえば、この点について大陸法的な制度を採用すると行政権の独善を産むという考え方が、支配的であったからなのである。

⁂

眼をイギリス以外の英米法系の諸国に向けると、ダイシの定義には合致しない現象がさらに多くなる。とくに、成文憲法をもち違憲立法審査制をもつアメリカ合衆国などでは、③は全くあてはまらない。しかし、そのことを根拠にアメリカには法の支配の原理は存在しないとはいえまい。実際にも、ことあるごとに、アメリカは（一七八〇年に制定されたマサチューセッツ州憲法の権利宣言の部の第三〇条に記されているように）「人による統治」（government of men）ではなく「法による統治」（government of laws）を国是とする国であることが、力説されるのである。

法の支配の原理は、治者も被治者も均しく法に従うべきであるとし、とくに権力の座にある者がその権力を濫用することを強く戒め、そのことに対する予防措置の必要性を強調する。立法部も司法部も裁量権を行使することはジェニングズの言う通りであるが、にもかかわらず法の支配に関してイギリスで主として行政権の濫用の抑制が問題とされたのは、行政権が最も濫用され易いという事実を基盤としたものである。そして、アメリカのように、独立にいたる一連の本国との抗争の中で立法権の濫用もまた行政権の濫用と同様に警戒されるべきだという考えが広くもたれると、違憲立法審査制が産み出されることになるのである。

⁂

「法の支配」は、このように、実定法的な原理としてよりも、英米の統治機構とそれに関する法制度・法準則に対して導きの星としての役を果たす指導原理の一つであると見るのが、適切であるように思われる。指導原理という性格のものであるだけに、その具体的発現形態は、時と所によって異なる。しかし、だからといって、それが英米の現行法の理解と無縁であるわけでは決してない。法の支配の精神が英米の法伝統の中に脈々として流れていることを念頭に置くことは、個々の法制度の意義を十分に理解するために必要であるのみならず、その運用および将来の動向を予測する鍵の一つとなるという意味でも、望ましいことなのである。そして、このことは、異なる法伝統のもとで育って来たわれわれが英米法を理解しようとするにあたっては、とくに強く留意すべきことのように思われる。

あとがき

本書は、「法学教室」一九八四年一月号から一九八六年一月号までに、一九八五年一二月号を除き二四回にわたって連載した（本書と同じ題名の）シリーズをもとにしたものである。このような内容のシリーズを執筆したのは、「法学教室」第二代編集長西尾みちみさんの御示唆によるものであった。二四編が基本的には本書の「はじめに」に記したような発想に立っているとはいえ、テーマの選び方もシリーズの性格上必ずしも体系的・組織的というわけではなく、一つ一つの項目のトーンも一様ではないものを、一冊の書物にまとめるというようなことは、当初は全く考えていなかったが、何人かの方にぜひ一冊にまとめたらというお言葉をいただき、さらに西尾さんからも強いおすすめを受けたので、こういうものでも英米法に多少なりとも興味をもつ方々の勉強の手助けになることもあるかもしれないという気になった次第である。

一冊にまとめるにあたっては、項目の順序を大幅に入れ換えたほか、必要な加筆・訂正を行なった。

最後になるが、本書刊行に際して西尾さんはじめ有斐閣の方々の行き届いた御協力を受けたことに、心からの感謝を捧げたい。

一九八六年五月

田中英夫

索　　引

（頁数がゴチックで示されているのは、本書の項目の見出し）

〈著 者 紹 介〉

田《た》 中《なか》 英《ひで》 夫《お》　1927年生
1951 年　東京大学法学部卒業
現　在　東京大学法学部教授

〈主 要 著 書〉

日本国憲法制定の過程（編著）（有斐閣，1972年）
アメリカの社会と法（東京大学出版会，1972年）
英米の司法（東京大学出版会，1973年）
The Japanese Legal System（東京大学出版会，1976年）
憲法制定過程覚え書（有斐閣，1979年）
英米法総論上，下（英米法叢書 1，2）（東京大学出版会，1980年）

英米法のことば〈法学教室選書〉

昭和61年7月14日　第1版第1刷発行

著作者　田 中 英 夫

発行者　江 草 忠 敬

発行所　株式会社 有 斐 閣

〒101　東京都千代田区神田神保町2—17
電話　東　京（264）1 3 1 1（大代表）
振替口座　東 京 6—370 番
神田支店（本社内）電話東京（265）6810
京都支店〔606〕左京区田中門前町 44

Printed in Japan

印刷／精興社　製本／高陽堂

英米法のことば（オンデマンド版）
法学教室選書

2013年4月15日　発行

著　者　　田中　英夫
発行者　　江草　貞治
発行所　　株式会社 有斐閣
〒101-0051　東京都千代田区神田神保町2-17
TEL　03(3264)1314(編集)　03(3265)6811(営業)
URL　http://www.yuhikaku.co.jp/

印刷・製本　株式会社 デジタルパブリッシングサービス
URL　http://www.d-pub.co.jp/

AG712

ISBN4-641-91204-1
Printed in Japan